JACK HIGGINS uchodzi za najpopularniejszego brytyjskiego twórcę literatury sensacyjno-przygodowej. Jego powieści ukazują się w prawie 30 językach świata, a ich łączny nakład przekroczył 150 milionów egzemplarzy. Naprawdę nazywa się Harry Patterson. Sławę przyniosła mu powieść „Orzeł wylądował" (1975) wydana pod pseudonimem Jack Higgins — jednym z kilku, których używał w trakcie kariery pisarskiej. Napisał ponad 60 książek. Najbardziej znane to: „Konfesjonał" (1985), „Orzeł odleciał" (1991), „Skała Wichrów" (1993), „Córka prezydenta" (1997), „Lot orłów" (1998), „Zdrajca w Białym Domu" (1999) i „Odwet" (2000). Najnowszy bestseller nosi tytuł „Niebezpieczna gra" (2001). W 2002 roku ukaże się *Midnight Runner*. Książki Higginsa doczekały się licznych ekranizacji. Należą do nich filmy pełnometrażowe „Modlitwa za konających" i „Orzeł wylądował" oraz kilkugodzinne seriale telewizyjne zrealizowane na podstawie „Konfesjonału", „Nocy Lisa", „Cold Harbour" i innych powieści.

Wychowany w Irlandii Północnej pisarz ukończył socjologię i psychologię społeczną na London University. Przez kilka lat pracował jako nauczyciel, następnie poświęcił się całkowicie twórczości literackiej. Obecnie mieszka na wyspie Jersey.

Powieści Jacka Higginsa
w wydawnictwach Albatros/A.A.Kuryłowicz

W sprzedaży

ZDRAJCA W BIAŁYM DOMU
ODWET
NIEBEZPIECZNA GRA
GRA DLA BOHATERÓW
ODPŁAĆ DIABŁU
ORZEŁ WYLĄDOWAŁ
ORZEŁ ODLECIAŁ

W przygotowaniu

NA GODZINĘ PRZED PÓŁNOCĄ
NOCNY EKSPRES
COLD HARBOUR
KRYPTONIM „VALHALLA"
SABA

JACK HIGGINS

NIEBEZPIECZNA GRA

Z angielskiego przełożył
ZBIGNIEW A. KRÓLICKI

WARSZAWA 2001

Tytuł oryginału:
EDGE OF DANGER

Redakcja: Barbara Syczewska-Olszewska

Ilustracja na okładce: Jacek Kopalski

Opracowanie graficzne okładki: Andrzej Kuryłowicz

ISBN 83-88087-80-0

Zamówienia hurtowe:

Firma Księgarska Jacek Olesiejuk
Kolejowa 15/17, 01-217 Warszawa
tel./fax (22)-631-4832, (22)-632-9155
e-mail: hurt@olesiejuk.pl
www.olesiejuk.pl

Wydawnictwo L & L/Dział Handlowy
Kościuszki 38/3, 80-445 Gdańsk
tel. (58)-520-3557, fax (58)-344-1338

Zamówienia wysyłkowe:

Księgarnia Wysyłkowa Faktor
skr. poczt. 60, 02-792 Warszawa 78
tel. (22)-649-5599

WYDAWNICTWO ALBATROS
ANDRZEJ KURYŁOWICZ
adres dla korespondencji:
skr. poczt. 55, 02-792 Warszawa 78

Warszawa 2001. Wydanie I
Skład: Laguna
Druk: Abedik, Poznań

Dla Tess,
która sądzi, że nadszedł czas...

POCZĄTEK

1

Paul Raszid był jednym z najbogatszych Brytyjczyków na świecie. Był również półkrwi Arabem i niewielu ludzi potrafiło orzec, który z tych faktów wywarł większy wpływ na jego osobowość.

Ojciec Paula był wodzem plemienia Beduinów Raszid w prowincji Hazar, leżącej nad Zatoką Perską, a także wojownikiem z krwi i kości. Wysłany za młodu do Królewskiej Akademii Wojskowej w Sandhurst, poznał tam na uroczystym balu lady Kate Dauncey, córkę earla Loch Dhu. Był zarówno bogaty, jak i przystojny, zdobył więc jej uczucie i pobrali się, mimo zrozumiałych problemów oraz początkowych zastrzeżeń obu rodzin. Ojciec Paula wciąż podróżował pomiędzy Anglią a Zatoką Perską, zależnie od potrzeby. Urodziło im się czworo dzieci: najstarszy Paul, Michael, George i Kate.

Dzieci były niezmiernie dumne z rodzin obojga rodziców. Z szacunku do bogatego dziedzictwa kulturalnego Orientu wszystkie płynnie mówiły po arabsku i w głębi serca były Beduinami, lecz – jak twierdził Paul Raszid – angielskie korzenie też były dla nich ważne i równie troskliwie dbały o honor rodu Daunceyów oraz ich włości, jak członkowie najstarszych rodzin Anglii.

Ukształtowały ich tradycje obu tych narodów: średniowiecznej Anglii i pustynnych Beduinów, tworząc wybuchową mieszankę, co najczęściej uwidaczniało się w przypadku Paula i czego chyba najdobitniejszym przejawem było pewne niezwykłe wydarzenie, które miało miejsce pod koniec jego pobytu w Sandhurst. Wtedy pojechał do domu na kilkudniową przepustkę. Michael miał wówczas osiemnaście lat, George siedemnaście, a Kate dwanaście.

Earl przebywał w Londynie, a Paul przyjechał do Hampshire i zastał matkę w bibliotece Dauncey Place. Miała paskudnie posiniaczoną twarz. Wyciągnęła ręce, żeby go objąć, a Kate powiedziała:

– On ją uderzył, Paul. Ten okropny człowiek uderzył mamusię!

Paul odwrócił się do Michaela i powiedział spokojnie:

– Wyjaśnij.

– To obcy – powiedział mu brat. – Cała ich gromada przyjechała do Roundhay Spinney z czterema wozami kempingowymi i kilkoma końmi. Ich psy dusiły nasze kaczki i mama poszła porozmawiać z właścicielami.

– Puściliście ją samą?

– Nie, poszliśmy wszyscy, nawet Kate. Ci ludzie śmiali się z nas, a kiedy mama zaczęła krzyczeć, ich przywódca – bardzo wysoki i agresywny – uderzył ją w twarz.

Z pobladłą twarzą Paul Raszid ciemnymi oczami spoglądał na Michaela i George'a.

– A więc ten zwierzak skrzywdził waszą matkę, a wy na to pozwoliliście? – Spoliczkował ich obu. – Macie po dwa serca. Raszidów i Dänceyów. Teraz pokażę wam, jak należy się nimi kierować.

Matka złapała go za rękaw.

– Proszę, Paul, nie rób tego, nie warto.

– Nie warto? – powtórzył z przerażającym uśmiechem. – Tam jest pies, który potrzebuje nauczki. Zamierzam mu ją dać.

Odwrócił się i poprowadził ich do drzwi.

Wszyscy trzej chłopcy wyruszyli do Roundhay Spinney land-roverem. Paul zabronił Kate jechać, lecz zaraz po ich odjeździe osiodłała swoją ulubioną klacz i pognała za nimi, galopując na skróty przez pola.

Znaleźli wozy ustawione w krąg wokół dużego ogniska, a przy nim kilkanaście dorosłych osób, kilkoro dzieci, cztery konie i psy.

Rosły awanturnik opisany przez obu młodszych chłopców siedział na pustej skrzynce przy ognisku, pijąc herbatę. Podniósł głowę na widok nadchodzących.

– A wy co za jedni?

– Moja rodzina mieszka w Dauncey Place.

– O rany, sam wielmożny pan, co? – Mężczyzna zaśmiał się do kompanów. – Wygląda mi na zwykłego kutasa.

– Przynajmniej nie biję kobiet. Staram się zachowywać jak mężczyzna, czego nie można powiedzieć o tobie. Popełniłeś błąd, ty kupo gnoju. Ta dama jest moją matką.

– No i co, ty mały... – zaczął osiłek, ale nie dokończył.

Paul Raszid błyskawicznie sięgnął do głębokiej kieszeni płaszcza i wyciągnął dżambiję – zakrzywiony sztylet Beduinów. Bracia poszli za jego przykładem.

Gdy siedzący przy ognisku ludzie zrywali się na równe nogi, Paul ciął dżambiją w bok głowy awanturnika, odcinając mu lewe ucho. Jeden z pozostałych mężczyzn wyjął z kieszeni nóż i Michael Raszid w przypływie gniewu, jakiego nie zaznał jeszcze nigdy w życiu, chlasnął go sztyletem w policzek, rozcinając ciało do kości. Ranny zawył z bólu.

Inny mężczyzna podniósł gałąź, aby uderzyć nią George'a, lecz Kate Raszid wybiegła z ukrycia, chwyciła kamień i z przenikliwym okrzykiem cisnęła nim w twarz napastnika.

Potyczka skończyła się równie szybko, jak się zaczęła. Reszta przybyszów stała czujnie, w milczeniu. Kobiety nie odzywały się i nawet dzieci nie płakały. Nagle niebiosa rozwarły się i lunął deszcz. Przywódca grupki przycisnął brudną chusteczkę do ucha lub tego, co z niego zostało, jęcząc:

– Zapłacisz mi za to.

– Nie, na pewno nie – rzekł Paul Raszid. – Jeśli jeszcze raz zbliżysz się do tej posiadłości albo mojej matki, nie obetnę ci drugiego ucha, ale genitalia.

Otarł dżambiję o płaszcz osiłka, a potem wyjął z kieszeni waltera i wpakował dwie kule w zawieszony nad ogniskiem dzbanek. Z dziurek po kulach popłynęła woda, gasząc płomienie.

– Daję wam godzinę na wyniesienie się stąd. Sądzę, że National Health Hospital w Maudsley zajmuje się nawet takimi szumowinami jak ty. Jednak pamiętaj o tym, co powiedziałem. – I po krótkiej przerwie dodał: – Jeśli jeszcze raz zakłócisz spokój mojej matce, zabiję cię. Możesz być tego pewien.

Wszyscy trzej chłopcy odjechali w deszczu, a Kate za nimi, na koniu. Nie przestawało lać, kiedy dotarli do wioski Dauncey i podjechali pod pub zwany „Dauncey Arms". Paul zaparkował samochód i wysiedli, a Kate zsunęła się ze swej klaczy i uwiązała ją do drzewka. Stała tam, z niepokojem patrząc na braci.

– Przepraszam, że cię nie posłuchałam, bracie.

Paul ucałował ją w oba policzki i powiedział:

– Byłaś cudowna, siostrzyczko. – Przytulił ją, a potem

puścił i dodał: – Najwyższy czas, żebyś wypiła pierwszy w życiu kieliszek szampana.

Pub miał belkowany sufit, wspaniały stary mahoniowy kontuar zastawiony rzędami butelek i olbrzymi kominek. Pół tuzina miejscowych mężczyzn odwróciło się i zdjęło czapki. Barmanka, Betty Moody, która właśnie wycierała kieliszki, spojrzała na wchodzących i powitała ich.

– To ty, Paul.

Była to usprawiedliwiona poufałość. Znała ich wszystkich od dziecka, a nawet przez pewien czas niańczyła Paula.

– Nie wiedziałam, że wróciłeś do domu.

– To niespodziewana wizyta, Betty. Musiałem załatwić kilka spraw.

Spojrzała na niego ostro.

– Na przykład tych drani z Roundhay Spinney?

– Wielkie nieba, skąd o tym wiesz?

– Niewiele rzeczy uchodzi mojej uwagi, nie w tej gospodzie. Oni już od tygodni sprawiają wszystkim kłopoty.

– No cóż, Betty, już nikomu nie sprawią kłopotów.

Położył na kontuarze dżambiję.

Z ulicy dobiegł warkot przejeżdżających samochodów i jeden z gości podszedł do okna. Odwrócił się.

– A niech mnie licho. Te łobuzy odjeżdżają.

– No, ja myślę – mruknął Michael.

Betty odstawiła kieliszek.

– Nikt nie kocha cię bardziej niż ja, Paul, nikt oprócz twojej wspaniałej matki, ale pamiętam, że zawsze miałeś charakterek. Czy znów byłeś niegrzecznym chłopcem?

– Ten okropny człowiek napadł na mamusię i uderzył ją – powiedziała Kate.

Wśród zebranych zaległo milczenie, które przerwała Betty Moody, pytając:

– Co takiego?!

– Wszystko w porządku. Paul obciął mu ucho, więc odjechali. – Kate uśmiechnęła się. – To było cudowne.

W gospodzie zapadła cisza jak makiem zasiał.

– Ona też nieźle się spisała – powiedział Paul Raszid. – Okazuje się, że nasza siostrzyczka bardzo celnie rzuca kamieniami. Tak więc, kochana Betty, otwórzmy butelkę szampana. Myślę, że każdemu z nas przyda się duża porcja placka pasterza.

Wyciągnęła rękę i dotknęła jego policzka.

– Ach, Paul, mogłam się domyślić. Jeszcze coś?

– Tak, jutro wracam do Sandhurst. Czy mogłabyś znaleźć chwilkę i sprawdzić, czy mama nie potrzebuje pomocy? Och, i przymknąć oko na to, że ta mała jest jeszcze za młoda, by przebywać w pubie?

– Tak, na oba pytania. – Betty otworzyła lodówkę i wyjęła butelkę bollingera. Pogłaskała Kate po głowie. – Stań za barem obok mnie, dziewczyno. Wtedy wszystko będzie zgodnie z prawem. – Wyciągając korek, uśmiechnęła się do Paula. – Grunt to rodzina, co, Paul?

– Zawsze – odparł.

Później, po posiłku i szampanie, przeprowadził ich na drugą stronę drogi i przez cmentarz do zadaszonego wejścia parafialnego kościoła, wzniesionego w dwunastym wieku. Gotyckie wnętrze było bardzo piękne, nakryte łukowatym sklepieniem. Deszcz przestał padać i przez witraże sączyło się cudowne światło, padając na ławy, marmurowe nagrobki oraz rzeźby upamiętniające wielu przedstawicieli rodu Dauncey ów.

Wywodzili się ze Szkocji. Sir Paul Dauncey był obecny przy śmierci królowej Elżbiety, a kiedy król Szkocji Jan VI został Janem I, królem Anglii, jego dobry przyjaciel sir Paul Dauncey był jednym z tych, którzy przygalopowali z Londynu do Edynburga, żeby mu o tym powiedzieć. Jan I mianował go earlem leżącego na wyżynie szkockiej Loch Dhu – czyli czarnego stawu lub ciemnych wód. Ponieważ zwykle padało tam przez sześć dni w tygodniu, łatwo zrozumieć, dlaczego Dianceyowie pozostali w Dauncey Place, zatrzymując w Loch Dhu tylko zrujnowany zameczek i niewielką posiadłość.

Najistotniejsza różnica między szkockimi a angielskimi parami polegała na tym, że u Szkotów prawo do tytułu nie wygasało ze śmiercią ostatniego męskiego potomka. Jeśli nie było męskiego dziedzica, tytuł mógł przejść na kobietę. Tak więc po śmierci earla, matka Paula zostawała hrabiną. Jemu przysługiwał kurtuazyjny tytuł wicehrabiego Daunceya, pozostali dwaj chłopcy mieli być szlachetnie urodzonymi, a ich siostra lady Kate. A pewnego dnia Paul miał zostać earlem Loch Dhu.

Ich kroki odbijały się echem, gdy szli przez nawę. Paul przystanął przy pięknej rzeźbie, przedstawiającej zakutego w stal rycerza i jego damę.

– Myślę, że dziś byłby z nas dumny, prawda? – zauważył i wyrecytował fragment kroniki rodzinnej, którą wszyscy czworo znali na pamięć, jak katechizm: – Sir Paul Dauncey, który walczył z Ryszardem Trzecim w bitwie pod Bosworth, a potem wyrąbał sobie drogę z okrążenia i uciekł do Francji.

– A później Henryk Tudor pozwolił mu wrócić – dopowiedziała Kate – i oddał mu skonfiskowane włości.

– Z czego wzięła się dewiza naszego rodu – dodał Michael. – *Zawsze wracam.*

– Zawsze. – Paul jednym ramieniem objął Kate, a drugim obu braci. – Zawsze razem. Jesteśmy Raszidami i Dauncеyami. Zawsze razem.

Przycisnął ich mocno, a Kate pisnęła i przytuliła się do niego.

Po ukończeniu Sandhurst Paul otrzymał przydział do grenadierów, odbył służbę w Irlandii, a potem w dziewięćdziesiątym pierwszym SAS posłał go nad Zatokę Perską.

Był to złośliwy kaprys losu, gdyż jego ojciec, przyjaciel Saddama Husajna i generał sił zbrojnych Omanu, został właśnie wysłany na szkolenie do głównego sztabu irackiej armii i również wziął udział w tej wojnie, tyle że po przeciwnej stronie. Mimo to nikt nie kwestionował lojalności Paula. Dla działających za linią frontu oddziałów SAS Paul Raszid był bezcennym nabytkiem i po zakończeniu wojny został odznaczony za zasługi. Niestety, jego ojciec zginął.

Paul się z tym pogodził.

– Ojciec był żołnierzem i podjął żołnierskie ryzyko – powiedział swoim braciom i siostrze. – Ja jestem żołnierzem i robię to samo.

Michael i George również poszli do Sandhurst. Michael później wybrał Szkołę Biznesu na Harvardzie, a George regiment spadochroniarzy, w którym odbył służbę w Irlandii. Wystarczył mu jeden rok. Opuścił armię i zaczął uczęszczać na kurs obrotu nieruchomościami.

Natomiast młoda Kate po St Paul's Girls' School ukończyła St Hugh's College w Oxfordzie, a potem postanowiła się wyszumieć i z siłą tornada zaczęła szaleć w londyńskich kręgach towarzyskich.

W 1993 roku, zupełnie niespodziewanie, umarł earl na atak serca z rodzaju tych, które nie są poprzedzone żadnymi objawami i zabijają w ciągu kilku sekund. Lady Kate była teraz hrabiną Loch Dhu, a jej ojciec spoczął w rodzinnym grobowcu na przykościelnym cmentarzu w Dauncey. Na pogrzeb przybyła cała wioska i wielu przyjezdnych, ludzi, których Paul nigdy przedtem nie spotkał.

W wielkiej sali Dauncey Place, gdzie podejmowano gości, Paul rozglądał się za matką i znalazł ją w towarzystwie jednego z takich nieznajomych, mężczyzny w średnim wieku. Kiedy Paul stanął przy nich, matka powiedziała:

– Paul, mój drogi, chcę przedstawić ci jednego z moich najlepszych przyjaciół, brygadiera Charlesa Fergusona.

Ferguson uścisnął mu dłoń.

– Wiem o panu wszystko. Ja również służyłem w grenadierach. Fantastycznie spisał się pan za irackimi liniami, razem z pułkownikiem Tonym Villiersem. Krzyż Zasługi to zbyt skromne odznaczenie.

– Zna pan pułkownika Villiersa? – zapytał Paul.

– Znamy się od dawna.

– Najwyraźniej jest pan dobrze zorientowany, brygadierze. Ta operacja SAS była ściśle tajna.

Matka Paula powiedziała:

– Charles i twój dziadek razem służyli w wojsku. W różnych miejscach. W Adenie, Omanie, na Borneo i Malajach. Teraz Charles kieruje wydziałem specjalnym wywiadu, podlegającym bezpośrednio premierowi.

– Kate, nie powinnaś o tym mówić – skarcił ją Ferguson.

– Nonsens – odparła. – Wie o tym każdy, kto jest kimś. – Ujęła jego dłoń. – Na Borneo uratował życie twojemu dziadkowi.

– On uratował moje dwukrotnie. – Ferguson pocałował ją w czoło, a potem zwrócił się do Paula. – Gdybym mógł coś dla pana zrobić, chętnie to uczynię. Oto moja wizytówka.

Paul Raszid energicznie uścisnął mu dłoń.

– Nigdy nie wiadomo, brygadierze, co się może zdarzyć. Trzymam pana za słowo.

Jako najstarszy, Paul wziął na siebie obowiązek wyjazdu do Londynu i skonsultowania się z rodzinnym adwokatem w kwestii testamentu nieodżałowanego earla. Kiedy wrócił, późno po południu, zastał całą rodzinę siedzącą przy kominku w wielkiej sali. Spojrzeli na niego wyczekująco.

– I co się stało? – zapytał Michael.

– Aha, jako absolwent harwardzkiej Szkoły Biznesu, chcesz wiedzieć ile? – Nachylił się i pocałował matkę w policzek. – Mama, jak zwykle, była bardzo niedobra i nie przygotowała mnie.

– Na co? – spytał Michael.

– Na wielkość majątku dziadka. Nie miałem pojęcia, że posiadał sporą część Mayfair. Oraz połowę Park Lane, na początek.

George gwizdnął.

– O czym mówimy?

– O trzystu pięćdziesięciu milionach.

Jego siostra głośno westchnęła. Matka tylko się uśmiechnęła.

– To nasuwa mi pewien pomysł – rzekł Paul. – Wiem, jak zrobić dobry użytek z tych pieniędzy.

– Co proponujesz? – zapytał Michael.

– Po Sandhurst byłem w Irlandii – odpowiedział Paul. – A potem z SAS nad Zatoką Perską. Prawe ramię wciąż mnie pobolewa na zmianę pogody, od tej kuli z karabinu Armalite, która przez nie przeszła. Ty, Michaelu, ukończyłeś Sandhurst i Szkołę Biznesu na Harvardzie, a George był przez rok w Irlandii z pierwszym spadochroniarzy. Kate jeszcze nie skończyła studiów, ale myślę, że możemy na nią liczyć.

– Jeszcze nie powiedziałeś nam, jaki to pomysł – przypomniał Michael.

– Już mówię. Czas, żebyśmy połączyli siły, otworzyli rodzinny interes i stali się siłą, z którą trzeba się liczyć. Kim jesteśmy? Daunceyami – a także Raszidami. Nikt nie ma większych wpływów w rejonie Zatoki niż my, a czego świat najbardziej teraz pragnie? Ropy z Zatoki. Zwłaszcza Amerykanie i Rosjanie od wielu miesięcy kręcą się wokół tamtejszych pól, usiłując kupić prawa do wydobycia. Aby jednak dobrać się do tej ropy, muszą zapewnić sobie przychylność Beduinów. A do tego jesteśmy im potrzebni my. Muszą przyjść do nas, do mojej rodziny.

– O czym rozmawiamy? – spytał George.

Ich matka zaśmiała się.

– Myślę, że wiem.

– Powiedz im – rzekł Paul.

– O dwóch miliardach?

– O trzech – poprawił. – Funtów szterlingów, oczywiście, a nie dolarów. – Podniósł butelkę szampana. – W końcu jestem bardzo brytyjskim Arabem.

Dzięki błyskotliwym inwestycjom i poparciu Beduinów, rodzina Raszidów kontrolowała rozwój nowych pól naftowych na północ od Dhofaru. Pieniądze spływały w nieprawdopodobnych ilościach. Amerykanie i Rosjanie chorzeczywiście musieli korzystać z ich pośrednictwa, chociaż niechętnie, a Raszidowie pomogli także odbudować iracki przemysł naftowy.

Pierwszy miliard zarobili w trzy lata, drugi w dwa, i byli na dobrej drodze do zdobycia trzeciego. George i Michael wspólnie kierowali firmą Raszid Investments, a młoda Kate, która zdążyła już skończyć studia na Oxfordzie, została prezesem. Każda bizneswoman, która wzięła ją tylko za ślicznotkę w sukni od Armaniego i butach Manolo Blahnika, szybko pojmowała swój błąd.

Sam Paul wolał trzymać się w cieniu, na drugim planie. Większość czasu spędzał w Hazarze, z Beduinami. Był dla nich bohaterem, który często przemierzał morze piasków na wielbłądzie i żył zgodnie z ich prastarą tradycją na pustyni, strzeżony przez swoich spalonych słońcem współplemieńców, z którymi jadał daktyle i suszone mięso.

Często towarzyszyli mu bracia lub Kate, budząca zgorszenie swoimi zachodnimi zwyczajami, lecz powszechnie szanowana ze względu na brata, który stał się żywą legendą i miał władzę większą nawet od sułtana. Nawiasem mówiąc, był jego dalekim kuzynem. Szeptano, że pewnego dnia zostanie wybrany przez Radę Starszych, lecz na razie obecny sułtan nadal sprawował rządy, oparte głównie na oddziałach żołnierzy dowodzonych przez brytyjskich ochotników.

Aż pewnej nocy, kiedy siedział przy ognisku w obozowisku w Oazie Szabwa, helikopter typu Hawk nadleciał z warkotem i wylądował w chmurze piasku.

Wielbłądy i osły spłoszyły się, dzieci krzyczały z radości, a kobiety je uspokajały. Z maszyny wysiedli Michael, George i Kate w arabskich strojach. Paul powitał ich.

– Co to, zjazd rodzinny?

– Mamy kłopoty – powiedziała Kate.

Wziął ją za rękę, zaprowadził do ogniska i kazał jednej z kobiet przynieść kawę.

Kate skinęła na Michaela.

– Najpierw ty.

– Zebraliśmy już trzy miliardy – oznajmił Michael.

– A więc w końcu się udało – rzekł Paul. – Bardziej bym się cieszył, gdybym nie oczekiwał złych wieści. Mów, Kate. Wystarczy mi spojrzeć na twoją minę, żeby wiedzieć, kiedy jest kiepska pogoda, a teraz mam wrażenie, że leje.

– Widziałeś się ostatnio z sułtanem?

– Nie, odbywał pielgrzymkę do Świętych Studni.

– Do Świętych Studni? Niezły żart. Pielgrzymował do Dubaju, gdzie spotkał się z amerykańskimi i rosyjskimi przemysłowcami oraz przedstawicielami administracji obu tych państw. Zawarli umowę dotyczącą wspólnego wydobycia ropy w Hazarze – bez nas.

– Przecież nie mogą tego zrobić bez współpracy z Beduinami – zauważył Paul. – A tej nie uzyskają bez nas.

– Paul – powiedziała Kate – mogą to zrobić i zrobią. Sułtan nas sprzedał. Wiesz, jak Amerykanom i Rosjanom nie podobało się nasze pośrednictwo. Teraz wykluczyli nas z interesu. Zamierzają nas zniszczyć, a przy okazji wszystkich Beduinów. Kiedy nas nie będzie, ci przeklęci nafciarze będą wiercić gdziekolwiek, a Arabowie będą mogli się wypchać.

– Czy to prawda? – zapytał Paul.

Michael kiwnął głową.

– Zamierzają ograbić pustynię, a my nic nie możemy na to poradzić.

Paul w zadumie pokiwał głową i przegarnął węgle.

– Nie mów pochopnie, Michaelu. Zawsze można coś zrobić, jeśli tylko się chce.

– Co masz na myśli? – zapytał George.

– Nie teraz – mruknął Paul. Zwrócił się do Kate. – Masz tego gulfstreama w bazie lotniczej w Hamanie?

– Tak – odpowiedziała.

Przyciągnął ją do siebie i ucałował w czoło.

– Śpijcie dobrze. Porozmawiamy jutro.

Kiwnął głową braciom i wszyscy wstali. Kate odwróciła się, zmierzając do namiotu, i wtedy to się stało. Z cienia wypadł z wrzaskiem Beduin, unosząc nad głowę zakrzywioną dżambiję i biegnąc prosto na braci. Dziewczyna znalazła się na jego drodze. Zaskoczył ochroniarzy Paula, którzy położyli AK-47 na ziemi i w dłoniach trzymali filiżanki z kawą. Paul Raszid poderwał się błyskawicznie, przewrócił siostrę na ziemię i wyrwał zza paska browninga. Oddał cztery strzały, zabijając zamachowca na miejscu. Znów rozległ się przenikliwy krzyk i z ciemności wyskoczył drugi mężczyzna z uniesionym do ciosu sztyletem, lecz natychmiast został obezwładniony przez ochronę.

– Żywcem! – zawołał po arabsku Paul. – Żywcem! – Odwrócił się do George'a. – Dowiedz się, kim jest i skąd przybył.

George podbiegł do ochroniarzy przytrzymujących szamoczącego się jeńca, a Paul pomógł Kate wstać.

– Wszystko w porządku? Nic ci się nie stało?

Przytuliła się do niego i odpowiedziała po arabsku:

– Nie, mój bracie, dzięki tobie.

Uścisnął ją.

– Zostaw to mnie. Idź spać.

Odeszła z wyraźną niechęcią, a Paul Raszid podszedł do drugiego zamachowca, przywiązanego już do wbitych w ziemię pali. Twarz mężczyzny była pobrużdżona i ściągnięta. Jego źrenice miały wielkość główki od szpilki, z ust ciekła mu piana.

– Wynajęty zabójca odurzony quatem – rzekł George.

Paul Raszid zapalił papierosa i skinął głową. Quat jest narkotyczną substancją uzyskiwaną z liści pewnych krzewów rosnących na pustyni. Wielu Beduinów było uzależnionych. Niektórym narkotyk dawał złudne poczucie siły.

Temu mężczyźnie miał przynieść tylko śmierć.

– Róbcie, co trzeba – powiedział do George'a.

Odszedł, zasiadł przy ognisku i sięgnął po kawę. Kate wróciła i usiadła przy nim. W ciemności rozległ się krzyk bólu, potem przeraźliwe wrzaski, aż wreszcie zapadła cisza. Do ogniska podeszli George i Michael.

– I co? – zapytał Paul.

– Sułtan zorganizował zamach na życzenie Amerykanów i Rosjan. Nie mogli sobie pozwolić na to, żeby zostawić nas przy życiu.

– Jakie to dla nich przykre – rzekł Paul Raszid – że zamach się nie udał.

Zapadła cisza. Michael i George usiedli przy ogniu.

– I co teraz? – zapytał George.

– Przede wszystkim sądzę, że czas już wybrać nowego sułtana. Kontakty z naszymi ludźmi w Hazarze to twoja specjalność – odparł Paul. – Zajmij się tym. Jednak ta gra toczy się o znacznie większą stawkę. Czy pozwolimy światowym mocarstwom krzywdzić nasz lud? Czy pozwolimy niszczyć naszą ziemię? I atakować nas? Nie, uważam, że musimy im odpowiedzieć i uderzyć.

W tym momencie zadzwonił jego telefon komórkowy. Wyjął go zza pazuchy.

– Raszid.

W blasku ogniska zobaczyli, że spoważniał, a oczy zmieniły mu się w dwa czarne węgle.

– Będziemy najszybciej, jak się da – powiedział.

Rozłączył się i podał telefon Kate.

– Zadzwoń do Hamanu. Powiedz im, żeby przygotowali gulfstreama do natychmiastowego startu. Zaraz polecimy tam helikopterem.

– Dlaczego, Paul? Co się stało? – zapytała Kate.

– Dzwoniła Betty Moody. Coś strasznego przydarzyło się naszej mamie.

2

Istotnie był to bardzo poważny wypadek. W drodze powrotnej do Dauncey Place samochód prowadzony przez lady Kate czołowo zderzył się z samochodem, który zjechał na lewy pas. Raszidowie dotarli do szpitala dziesięć minut przed jej śmiercią. W samą porę, aby całą czwórką stanąć przy jej łóżku i trzymać ją za ręce.

– Moi wspaniali chłopcy – powiedziała lady Kate swoim kiepskim arabskim, będącym zawsze przedmiotem kpin całej rodziny. – Moja śliczna dziewczynka. Zawsze się kochajcie – szepnęła i odeszła.

Michael i George rozpłakali się, lecz Kate tylko ścisnęła dłoń Paula, który nachylił się, by pocałować matkę w czoło. Piekły ją oczy, ale nie było w nich łez. Te miały przyjść później – gdy odkryje, kto jest odpowiedzialny za śmierć ich matki.

Kiedy jednak poznali jego nazwisko, okazało się, że to kolejna zła wiadomość. Jak powiedział im główny inspektor policji w Hampshire, ten kierowca, niejaki Igor Gatow, zjechał na nieprawidłowy pas ruchu, udając się do Londynu z Knotsley Hall, posiadłości będącej własnością rosyjskiej ambasady. Och, z całą pewnością był pijany i jakimś cudem zdołał wyjść z katastrofy zaledwie z drobnymi obrażeniami. Tak się jednak nieszczęśliwie złożyło, że jest attaché handlowym rosyjskiej ambasady w Londynie, co oznacza, iż chroni go immunitet dyplomatyczny. Zabójcy ich matki nie można było postawić przed angielskim sądem.

Z szacunku dla religijnych przekonań matki, pochowali ją w rodzinnym grobowcu na kościelnym cmentarzu w Dauncey, w marcowe popołudnie. Jeden z najważniejszych londyńskich imamów zaszczycił uroczystość swoją obecnością. Stojąc tam, trzej bracia Raszidowie i młoda Kate nigdy nie czuli się sobie bliżsi.

Później, podczas przyjęcia w wielkiej sali w Dauncey Place, do Paula Raszida podszedł Charles Ferguson.

– Co za okropna historia, Paul – powiedział brygadier. – Tak mi przykro. Wasza matka była wielką damą.

– Czy pan wie o czymś, czego nam pan nie mówi, brygadierze? – zapytała Kate.

Ferguson popatrzył na nią uważnie.

– Jeśli będziecie mieli ochotę, to do mnie zadzwońcie.

Z tymi słowami odszedł. Kate zwróciła się do brata:

– Paul?

– Gdy tylko tu skończymy – odrzekł – pojedziemy go odwiedzić.

Dwa dni później Paul i Kate Raszid pojawili się w domu Charlesa Fergusona, mieszczącym się przy Cavendish Place w Londynie. Wpuścił ich lokaj Fergusona, Gurkha imieniem Kim. Okazało się, że Ferguson nie jest sam, lecz w towarzystwie dwóch innych osób. Jedną z nich był niski mężczyzna o włosach tak jasnych, że prawie siwych.

– Lady Kate, oto Sean Dillon, który pracuje dla mojego

wydziału – rzekł Ferguson, a potem przedstawił drugą osobę, rudowłosą kobietę. – Detektyw nadinspektor Hannah Bernstein z Wydziału Specjalnego Scotland Yardu. Lordzie Loch Dhu, w czym mogę pomóc? Możemy zaproponować kieliszek szampana?

– Nie, dziękuję. Może moja siostra się napije, ale ja wolałbym irlandzką whisky Bushmills, taką, jaką pije pan Dillon.

– Porządny gość – powiedział Dillon – ale panie mają pierwszeństwo.

Nalał Kate szampana. Hannah Bernstein powiedziała do niej:

– Zdaje się, że skończyła pani Oxford? Ja byłam w Cambridge.

– Cóż, to nie pani wina – odparła Kate i uśmiechnęła się.

Jej brat rzekł:

– Służyłem w Irlandii, w grenadierach i w SAS. Dużo tam słyszałem o Seanie Dillonie.

– Pewnie to wszystko prawda – powiedziała mu Hannah Bernstein dziwnym tonem, którego Raszid nie zdołał rozszyfrować.

– Niech pan jej nie słucha – poradził mu Dillon. – Dla niej zawsze będę facetem w czarnym kapeluszu, ale dla pana i dla mnie, majorze, tak jak dla każdego żołnierza, jesteśmy tylko ludźmi odwalającymi brudną robotę, przed jaką wzdraga się opinia publiczna. Oto cała prawda – dodał Dillon i zwrócił się do Kate. – Przyzna pani, że tak właśnie jest?

Wcale nie była oburzona.

– Oczywiście.

– A zatem – rzekł Paul Raszid – Igor Gatow, attaché handlowy przy rosyjskiej ambasadzie w Londynie, zjeżdża po pijanemu na prawą stronę drogi i zabija moją matkę.

Policja twierdzi, że obejmuje go immunitet dyplomatyczny.

– Obawiam się, że to prawda.

– I wraca do Moskwy.

– Nie, jest potrzebny tutaj – powiedział mu Ferguson.

– Potrzebny? – zdziwił się Raszid.

– Ludzie ze służb specjalnych nie byliby zachwyceni, że o tym mówię, ale oni nie należą do moich najlepszych przyjaciół. Proszę mu powiedzieć, pani nadinspektor.

– Ile mogę wyjawić? – zapytała.

– Tyle, ile będzie potrzeba – rzekł Dillon. – Ten rosyjski gnój zabija angielską arystokratkę i uchodzi mu to na sucho. – Nalał sobie następną szklaneczkę whisky, unosząc ją, skinął głową Kate, a potem odwrócił się do Paula Raszida i powiedział całkiem niezłym arabskim: – Gatow to szuja pierwszej klasy. Jeśli nadinspektor waha się, nie miejcie jej tego za złe. Ma wrażliwe sumienie. Jej dziadek jest rabinem.

– A mój ojciec był szejkiem – powiedział do niej Paul Raszid po hebrajsku. – Może mamy wiele wspólnego.

Zaskoczył ją.

– Nie wiem, co powiedzieć – odparła w tym samym języku.

– No cóż, ja wiem – przerwał im Dillon po angielsku. – Nie tylko rosyjska ambasada chroni Gatowa przed wymiarem sprawiedliwości. On ma również amerykańskie powiązania.

– Jakiego rodzaju? – zapytał Paul Raszid po chwili milczenia.

Odpowiedziała mu Hannah:

– Jak wiecie, Amerykanie i Rosjanie rywalizują ze sobą o wpływy na Bliskim Wschodzie, ale potrafią współpracować, jeżeli jest to dla nich korzystne.

– Dobrze o tym wiem – rzekł Paul – ale co to ma wspólnego ze śmiercią mojej matki?

Dillon odpowiedział mu po arabsku:

– Ten śmierdziel jest podwójnym agentem. Pracował nie tylko dla Rosjan, ale także dla Amerykanów. Tak więc i jedni, i drudzy nie chcą, żeby stanął przed sądem. Jest dla nich zbyt ważny.

– Z jakiego powodu? – spytał Paul Raszid.

Odpowiedział mu Ferguson.

– Amerykanie i Rosjanie usiłują zawrzeć jakąś umowę, a Gatow w tym pośredniczy. Siedzi w tym po uszy. Chodzi o miliardy.

– Racja – wtrącił Dillon. – Arabia Felix. Szczęśliwa Arabia, jak mawiano niegdyś.

Słuchająca ich w milczeniu Kate Raszid spytała:

– A więc rozmawiamy o pieniądzach?

– Tak sądzę – odparł Dillon.

– I ze względu na swoje interesy, zarówno Amerykanie, jak i Rosjanie uważają śmierć mojej matki jedynie za kłopotliwy wypadek?

– Bardzo kłopotliwy.

Zamilkła i zerknęła na brata, który skinął głową.

– Kilka dni temu – zaczęła – w Oazie Szabwa miało miejsce interesujące wydarzenie. Czy wiadomo panu, brygadierze, że sułtan Hazaru związał się nie tylko z wielkim amerykańskim towarzystwem naftowym, ale również z rosyjską naftą?

Ferguson zmarszczył brwi.

– Nie, to dla mnie coś nowego.

– Dwaj zamachowcy próbowali zabić mojego brata tej nocy, kiedy powiadomiono nas o śmierci naszej matki. – Skinęła głową Dillonowi. – Jeden próbował mnie zabić. Mój brat uratował mi życie i zastrzelił go.

– Od drugiego zamachowca dowiedzieliśmy się, że

zabójstwo zostało zlecone przez sułtana, działającego we współpracy z Amerykanami i Rosjanami – uzupełnił Paul Raszid.

Ferguson kiwnął głową.

– Powiedział wam o tym?

– Oczywiście – mruknął Dillon.

– Czy sugerujecie, że śmierć waszej matki nie była przypadkowa? – zapytał brygadier.

– Nie – odparł Paul. – Policja ujawniła nam wyniki dochodzenia i nie dostrzegam żadnych korzyści, jakie tym psom mogłaby przynieść śmierć mojej matki. Jednakże wyraźnie widzę, że ludzkie życie jest dla nich bardzo tanie. I zamierzam dopilnować, żeby drogo za to zapłacili.

Wstał i wyciągnął rękę.

– Bardzo dziękuję za informacje, brygadierze. – Zwrócił się do Dillona. – Kiedy służyłem w gwardii w South Armagh, pewien lojalistyczny polityk powiedział mi, że Wyatt Earp zastrzelił dwudziestu przeciwników, ale Sean Dillon nawet nie potrafi ich zliczyć.

– Trochę przesadził – stwierdził Dillon. – Przynajmniej tak mi się zdaje.

Raszid uśmiechnął się do nich wszystkich i odwrócił się, by wyjść za Kimem. Kate wyciągnęła rękę do Dillona.

– Jest pan bardzo interesującym człowiekiem.

– Och, ma pani prawdziwy dar wymowy, moja droga. – Ucałował jej dłoń. – Oraz twarz, za którą można dziękować Bogu.

– To moja siostra, panie Dillon – rzekł Raszid.

– Jakże mógłbym o tym zapomnieć?

Wyszli i zanim Ferguson zdążył coś powiedzieć, zadzwonił czerwony telefon. Podniósł słuchawkę, posłuchał i po krótkiej wymianie zdań z poważną miną odłożył słuchawkę na widełki.

– Wygląda na to, że sułtan Hazaru właśnie zginął w zamachu. – Zwrócił się do Dillona. – Niezwykły zbieg okoliczności, nie sądzisz?

Irlandczyk zapalił papierosa.

– Och, tak, istotnie. – Wydmuchnął dym. – Jedno wiem na pewno. Żal mi Igora Gatowa.

Tego wieczoru odbywało się przyjęcie w hotelu „Dorchester", będące politycznym wydarzeniem z udziałem premiera, tak więc Ferguson z Bernstein i Dillonem musieli również wziąć w nim udział.

Dillon i nadinspektor weszli na salę balową drzwiami od strony Park Lane, sprawdzili podjęte środki bezpieczeństwa i – usatysfakcjonowani – dołączyli do Fergusona. Przy barze zauważyli earla Loch Dhu i jego siostrę.

– Patrzcie, kogo tu przyniosło – powiedział Ferguson. – Sprawdzimy z Hannah resztę zabezpieczeń, a ty, Dillon, spróbuj zasięgnąć języka.

Kate i Paul Raszid stali obok siebie, obserwując tłum, gdy Dillon pojawił się przed nimi i zagaił:

– Co za zbieg okoliczności.

– Nigdy nie wierzyłem w zbiegi okoliczności – odparł Paul Raszid. – A pan?

– Zabawne, że pan to mówi. Podobnie jak pan, jestem cynikiem, ale dziś...

W tym momencie przerwał im jakiś młody człowiek.

– Milordzie, premier chciałby zamienić z panem słowo.

Raszid rzekł do Irlandczyka:

– Przykro mi, panie Dillon, lecz nasza rozmowa będzie musiała poczekać. Jednakże byłbym wdzięczny, gdyby mógł się pan zaopiekować przez ten czas moją siostrą.

– To będzie dla mnie zaszczyt.

Raszid odszedł, a Kate powiedziała do Dillona:

– No cóż, skoro już się pan mną opiekuje, to co pan powie na drinka?

Dillon odwrócił się, by wziąć dla niej kieliszek, gdy tuż przy nich wyrósł jak spod ziemi wysoki mężczyzna o rumianej twarzy i pochwycił Kate w objęcia.

– Kate, moja droga – rzekł tubalnym głosem.

Widząc, że teraz nie będzie miał okazji z nią porozmawiać, Dillon postanowił odejść, ale zanim to zrobił, zdołał jeszcze nadepnąć intruzowi na nogę. Mężczyzna puścił Kate.

– Niech cię licho, ty niezdarny ośle!

Dillon uśmiechnął się.

– Tak mi przykro. – Skłonił się Kate. – Będę w „Fortepianowym Barze".

Przeszedł przez hol do „Fortepianowego Baru" hotelu „Dorchester", w którym – ze względu na wczesną porę – było jeszcze pusto. Barman, Guiliano, powitał go serdecznie, gdyż byli starymi znajomymi.

– Kieliszek szampana?

– Czemu nie? – odparł Dillon. – Zasiądę do fortepianu, dopóki nie pojawi się twój grajek.

Właśnie grał Gershwina, kiedy do baru weszła Kate Raszid.

– Widzę, że jest pan człowiekiem posiadającym wiele rozmaitych talentów.

– Jestem zaledwie przeciętnym barowym grajkiem, szanowna pani. Co się stało z tamtym dżentelmenem?

– Ten dżentelmen – jeśli można go tak nazwać – to lord Gravely, arystokrata, który na stałe zamieszkuje w Izbie Lordów, gdzie nie dokonał jeszcze niczego dobrego.

– Nie sądzę, żeby pani brat aprobował jego zachowanie wobec pani.

– Łagodnie powiedziane. Czy naprawdę musiał pan deptać mu po nogach?

– Zdecydowanie tak.

– No cóż, cieszę się. Ten człowiek to skończona świnia. Zawsze próbuje mnie obmacywać. Nie przyjmuje do wiadomości odmowy. Zasługuje na przydeptany palec i nie tylko.

Podniosła kieliszek Dillona i upiła szampana.

– Przyszłam tu, by panu podziękować. Teraz lepiej już pójdę. Zamówiłam samochód na siódmą.

Dillon uśmiechnął się, widząc, że nie ma szans na dalszą rozmowę.

– Było mi naprawdę miło.

Kate Raszid wyszła, a Dillon skończył utwór i postanowił ruszyć za nią. Sam nie wiedział dlaczego, ale miał wrażenie, że nie zakończył sprawy.

Wyszedł głównymi drzwiami, skręcił w prawo w Park Lane i zobaczył limuzyny czekające na ludzi wychodzących z sali balowej. Lady Kate Raszid stała na chodniku, ramiona miała okryte szalem. Nagle znów pojawił się lord Gravely. Objął ją ramieniem i przycisnął do siebie, szepcząc coś do ucha. Usiłowała się wyrwać i w tym momencie jednocześnie wydarzyły się dwie rzeczy. Przy krawężniku zatrzymał się daimler Paula Raszida, który zajmował miejsce na tylnym siedzeniu. Zanim earl zdążył wysiąść, Dillon dopadł Gravely'ego i uderzył go pięściami w nerki. Lord wrzasnął i puścił Kate, a jej brat wciągnął ją do samochodu. Gravely wściekle rzucił się na Dillona, który obrócił się na pięcie i łokciem trzasnął go w twarz, aż jego lordowska mość osunął się na chodnik.

Gdy odjeżdżali, Raszid spojrzał przez tylną szybę i zobaczył znikającego w tłumie Dillona oraz podchodzącego do Gravely'ego policjanta.

– Niezwykły człowiek z tego Dillona. Jestem mu zobowiązany. Wszystko w porządku?
– Nic mi nie jest, bracie, i to ja jestem mu wdzięczna.
– Podoba ci się?
– Bardzo.
– Każę go sprawdzić.
– Nie, Paul, sama to zrobię.

Następnego ranka, po spotkaniu z prawnikami, oboje pojechali do Dauncey Place. Paul telefonicznie uprzedził braci, więc obaj też tam byli. Wręczyli Betty Moody zdjęcia Igora Gatowa, aby zasięgnęła języka wśród miejscowych.

Kiedy wieczorem Paul zaszedł do pubu, jak zwykle postawiła mu kieliszek szampana i powiedziała cicho:

– Jest we wsi. Przyjechał w południe z grupą gości z rosyjskiej ambasady.

– Doskonale – mruknął Paul, delektując się szampanem.

– Co zamierzasz zrobić? – zapytała.

– Wykonać wyrok, Betty – odparł z zimnym uśmiechem.

Późną nocą rozmówił się z braćmi w wielkiej sali rodowej rezydencji. Betty też tam była – przyszła z pubu, przynosząc wiadomość z ostatniej chwili, podsłuchaną przez miejscowych zatrudnionych w Knotsley Hall: Gatow o jedenastej wieczorem miał wracać do Londynu.

Paul Raszid powiedział braciom, co zamierza zrobić, lecz nie włączył do swego planu Kate.

– Nie chcę jej w to mieszać – rzekł. – To męska sprawa.

Nie wiedział, że Kate stała nad nimi na galeryjce i podsłuchiwała. Rozzłoszczona, już miała się odezwać, ale Betty stanęła za jej plecami i położyła jej rękę na ramieniu.

– Zachowuj się przyzwoicie, młoda damo. Twoi bracia podejmują niebezpieczną grę. Nie powinnaś im jej utrudniać.

Lady Kate Raszid przez chwilę znów poczuła się małą dziewczynką i zrobiła, co jej kazano.

Tej nocy Igor Gatow minął kolejny zakręt wąskiej wiejskiej drogi i ujrzał furgonetkę, która wpadła do rowu, oraz jakąś postać leżącą na środku szosy. Wysiadł ze swego BMW, podszedł i pochylił się nad leżącym. Był nim Paul Raszid, który uderzył go kantem dłoni w kark.

On i jego bracia mieli na sobie czarne kombinezony sił specjalnych. Michael i Paul zanieśli półprzytomnego Gatowa do samochodu i posadzili go za kierownicą.

George podszedł do furgonetki, wsiadł i na wstecznym biegu wyjechał z rowu. Paul Raszid wyjął z kieszeni butelkę i oblał Gatowa benzyną.

– Ogień oczyszcza, jak mówi nam Koran – powiedział, włączył silnik samochodu i odblokował ręczny hamulec. – To nie wróci nam matki, ale lepsze to niż nic.

Pstryknął zapalniczką i przysunął płomień do nasiąkniętej benzyną marynarki Gatowa, która natychmiast stanęła w płomieniach. George i Michael popchnęli wóz, który stoczył się ze wzgórza i uderzył w balustradę starego kamiennego mostu, po czym eksplodował.

Następnego ranka w Ministerstwie Obrony Hannah Bernstein przyniosła do gabinetu Fergusona kartkę z odszyfrowanym meldunkiem. Raport szczegółowo opisywał okropny wypadek, w wyniku którego Igor Gatow spłonął w swoim samochodzie.

– No, proszę – mruknął Ferguson. – Kolejny niezwykły zbieg okoliczności.

Sean Dillon oparł się o drzwi i zapalił papierosa.

– Pytanie tylko, jakiego niezwykłego zbiegu okoliczności powinniśmy oczekiwać teraz?

Siedząc w saloniku Kate w domu przy South Audley Street, Paul Raszid powiedział:

– Gatow nie żyje. Sułtan również. Te egzekucje były słuszne i sprawiedliwe. Jednak to nie wystarczy.

– O czym ty mówisz, bracie? – zdziwił się Michael.

– Mówię o tym, że nie wystarczy tylko wyeliminować dwóch płotek. Ich śmierć szybko zostanie zapomniana, a mocarstwa znów będą panoszyć się, jakby nic się nie stało. Ameryka i Rosja, dwa wielkie szatany, zamierzają zniszczyć arabską kulturę, zdeptały godność Beduinów, okradły Arabię i Hazar z tego, co jest ich dziedzictwem – i naszym. Musimy dać im nauczkę, jakiej nieprędko zapomną.

– Co masz na myśli? – zapytał George.

– Po pierwsze, Kate, skontaktuj się z naszymi przyjaciółmi z Armii Allaha, Miecza Boga, Hezbollahu i innych organizacji. Chcę, żeby podnieśli alarm, głosząc, że Stany Zjednoczone i Rosja zamierzają splądrować Bliski Wschód. Chcę, żeby narobili jak największego zamieszania.

– I co potem? – zapytał Michael.

– Potem zabijemy prezydenta Stanów Zjednoczonych.

Zapadła głucha cisza, w której Michael wyszeptał:

– Dlaczego, Paul?

– Ponieważ Gatow był tylko sługusem, a sułtan zaledwie marionetką. Ponieważ nie ma sensu zabijać płotek. Jeśli jasno – naprawdę jasno – nie wyrazimy naszego zdania na ten temat, to światowe mocarstwa nigdy nas nie zrozumieją. I nigdy nie zostawią nas w spokoju. Należycie zaplanowany zamach na prezydenta Jake'a Cazaleta raz na zawsze wyjaśni światu, że Arabia jest dla Arabów. Co do Cazaleta, to na tym kończy się jego rola – jak głosi stare powiedzenie. Och, równie dobrze moglibyśmy zabić premiera Rosji, który w takim samym stopniu ponosi za to winę, ale zamach na Cazaleta narobi więcej hałasu.

Znowu zapadła cisza. W końcu Michael spytał:

– Mówisz poważnie?

– Tak, Michaelu. Nigdy nie mówiłem poważniej. Czas wysłać światu sygnał. – Przeszył go wzrokiem. – Zrobimy to dla Beduinów. – Przeniósł spojrzenie na George'a. – I dla Hazaru. – Popatrzył na Kate i przez kilka minut siedzieli w milczeniu, spoglądając sobie w oczy. W końcu Paul rzekł: – A także za mamę.

Ten ochrypły szept zdawał się wypełniać cały pokój. Po chwili Kate spytała:

– Tylko kto to zrobi?

– Najemnik. Teraz, kiedy w Irlandii Północnej zaczął się proces pokojowy, jest tam wielu bezrobotnych zabójców z IRA. – Wyjął kopertę i podał jej. – Ten człowiek, Aidan Bell, ma bardzo dobre rekomendacje. Można go znaleźć w County Down. Podobno na zlecenie Czeczenów zabił rosyjskiego generała i wysadził w powietrze jego kwaterę wraz z personelem. To człowiek, który nie boi się ryzyka. Jedź i porozmawiaj z nim, Kate. Zabierz ze sobą George'a. Walczył tam i zna teren.

Przestali się wahać. Podjęli decyzję.

– Oczywiście, bracie.

– Jeszcze jedno. – Zapalił papierosa. – Spodobał ci się Sean Dillon?

– Mówiłam ci.

– Musisz się z nim zobaczyć. Zaaranżuj przypadkowe spotkanie. Wymyśl jakąś wiarygodną historyjkę. Sprawdź, co wie o Aidanie Bellu.

Uśmiechnęła się.

– To będzie przyjemność.

– Byle nie za wielka – odparł z uśmiechem.

LONDYN

COUNTY DOWN

IRLANDIA
PÓŁNOCNA

3

Kate Raszid przejrzała informacje, które dostarczył jej brat. Były obszerne i dostatecznie szczegółowe. Aidan Bell miał czterdzieści osiem lat, został członkiem IRA, mając dwadzieścia lat, i nigdy nie przesiedział ani dnia w więzieniu. Od dawna był członkiem ekstremistycznej organizacji, jaką była INLA – Irlandzka Narodowa Armia Wyzwoleńcza. Często nie zgadzał się z tymczasowymi z IRA, ale był odpowiedzialny za kilka udanych zamachów.

Najciekawsze było to, że przez cały ten czas pracował również jako wysoko opłacany najemnik, świadcząc usługi licznym zagranicznym organizacjom wywrotowym.

Kate powierzyła tę sprawę szefowi ochrony Raszid Investments, zaufanemu człowiekowi i byłemu spadochroniarzowi, niejakiemu Frankowi Kelly'emu. Oczywiście nie wtajemniczyła go we wszystko. Żadnego z pracowników nie darzyła bezgranicznym zaufaniem. W tej fazie operacji chciała tylko zorganizować „przypadkowe" spotkanie z Dillonem i taka okazja nadarzyła się tydzień później, w poniedziałkowy wieczór.

Kelly zadzwonił do niej do domu, mieszczącego się przy South Audley Street, zaledwie pięć minut jazdy od hotelu „Dorchester".

– Dillon właśnie wszedł do „Fortepianowego Baru". Jest ubrany wieczorowo, w granatową marynarkę i gwardyjski krawat.

– Przecież on nie był w gwardii.

– Szanowna pani, proszę mi wybaczyć, że użyję tego określenia, ale, moim zdaniem, robi sobie jaja. W pierwszym spadochronowym spędziłem sporo czasu w Irlandii. Słyszałem o tym facecie.

– Nie wiedziałam, że służyłeś w pierwszym spadochronowym. Znałeś mojego brata, George'a?

– Tak, proszę pani, chociaż był znacznie wyższy stopniem. Był wtedy podporucznikiem, a ja tylko sierżantem.

– Świetnie. Masz samochód?

– Jeden z mercedesów firmy.

– Podjedź i zabierz mnie. Potem pojedziemy do hotelu „Dorchester" i zaczekasz na mnie. Nie bierz ze sobą nikogo innego. Masz być sam.

– Lady Kate, za nic nie wyrzekłbym się tej przyjemności – odparł Kelly.

Wkrótce przyjechał – elegancko ubrany mężczyzna mający najwyżej metr siedemdziesiąt wzrostu, o wyrazistych rysach twarzy i krótko przystrzyżonych włosach, do których przywykł podczas służby wojskowej. Po chwili wysadził Kate pod hotelem „Dorchester" i zaparkował na jednym z miejsc dla uprzywilejowanych gości.

Kate, ubrana w dopasowany czarny kostium, przeszła przez obrotowe drzwi. Gdy znalazła się w barze, usłyszała dźwięki fortepianu, przy którym zobaczyła Dillona.

Podszedł do niej Guiliano.

– Lady Kate, miło panią widzieć. Ten sam stolik co zwykle?

– Nie, pierwszy wolny przy fortepianie. Chcę porozmawiać z pianistą.

– Ach, z panem Dillonem. Jest niezły, prawda? Gra

tylko od czasu do czasu, zanim stawi się do pracy nasz pianista. Bóg wie, co robi poza tym. Zna go pani?

– Można tak powiedzieć.

Guiliano zaprowadził Kate do stolika. Skinęła głową Dillonowi, zamówiła kieliszek szampana Kruga, usiadła i wyjęła telefon komórkowy, łamiąc obowiązujące w barze zasady. Zadzwoniła do George'a, który mieszkał niedaleko hotelu. Kiedy odebrał telefon, powiedziała:

– Jestem w „Fortepianowym Barze" hotelu „Dorchester". Zastałam Dillona. Frank Kelly czeka na zewnątrz w samochodzie. Zadzwoń do niego i poproś, żeby cię przywiózł. Jesteś mi potrzebny.

– Oczywiście – odparł George. – Zobaczymy się wkrótce.

Kate uznała, że Dillon jest bardzo dobrym pianistą. Grał stare standardy, które zawsze lubiła. Z papierosem zwisającym z kącika ust i łobuzerskim uśmiechem, nagle zaczął grać „Our Love Is Here to Stay". Kiedy skończył, pojawił się zatrudniony w lokalu pianista. Dillon uśmiechnął się do niego i ustąpił mu miejsca przy fortepianie. Następnie podszedł do Kate.

– Szczęśliwy traf... Czy nie tak należałoby nazwać nasze spotkanie? Bardzo przyjemna niespodzianka.

– Cóż, panie Dillon, skoro tak pan uważa...

– Hm, w przeciwieństwie do pani nie studiowałem w Oxfordzie. Musiałem zadowolić się Królewską Akademią Sztuk Teatralnych.

– Był pan aktorem?

– Niech pani da spokój, Kate Raszid, przecież doskonale pani o tym wie – tak jak o wszystkich innych faktach z mojego życia.

Uśmiechnęła się i powiedziała do podchodzącego Guiliano:

– Niegdyś najbardziej lubił szampana Kruga, ale według moich informacji przeszedł na Louis Roederer Cristal. Zamawiamy butelkę.

Dillon wyjął srebrną papierośnicę i zapalił papierosa.

– Mógłbyś zapytać damę o pozwolenie – zauważyła, wzięła do rąk papierośnicę, obejrzała ją i wyjęła sobie papierosa. – Art déco. Człowiek o wyrafinowanych gustach. A może to pamiątka z Teatru Narodowego?

– Jesteś dobrze poinformowana – zauważył Dillon. Pstryknął zippo i podał jej ogień, gdy przyniesiono szampana. Potem sam też zapalił. – Wiesz co, to spotkanie może być przypadkowe albo też czymś z działki Carla Junga *.

– Masz na myśli synchroniczność wydarzeń? Głębsze umotywowanie działań?

Podniósł kieliszek.

– Za co więc pijemy?

W tym momencie na schodach prowadzących do baru pojawił się George, a tuż za nim Frank Kelly. Gdy obaj podeszli do stolika, Kate powiedziała:

– Ach, oto dwaj żołnierze z jednego regimentu. Panie Dillon, to mój brat George.

Dillon nie patrzył na George'a. Nie odrywał wzroku od Kelly'ego.

– Na twoim miejscu nie nosiłbym kabury na szelkach, synu. W razie potrzeby zbyt trudno wyjąć z niej broń. Lepiej trzymać ją w kieszeni. I nie mów, że ją wypycha, bo każę ci się wypchać.

Kelly uśmiechnął się, a Kate powiedziała:

– Usiądź przy sąsiednim stoliku, Frank, żebyś mógł nas słyszeć.

---

* Carl Jung – 1875–1961, szwajcarski psychiatra i psycholog, jeden z głównych przedstawicieli psychologii głębi; wprowadził pojęcie nieświadomości zbiorowej i archetypu; stworzył oryginalną typologię osobowości (przyp. red.).

Znowu uśmiechnął się do Dillona.

– Tak, proszę pani, usłucham jak grzeczny piesek.

Dillon roześmiał się.

– Cóż, takie psy lubię. Możemy napić się drinka?

– Nie w czasie pracy – odparł Kelly. – A przy okazji, ja też pochodzę z County Down, ty feniański * draniu.

– Zatem wiemy, na czym stoimy – uśmiechnął się Sean. – Nie czekaj, tylko zamów jednego bushmillsa i usiądź, żeby wysłuchać, czego sobie życzy dama.

Opowieść Kate była bardzo przekonująca.

– Rzecz w tym, Dillon, że my – mówię o Raszid Investments – korzystając z procesu pokojowego, zamierzamy rozpocząć duże inwestycje w Ulsterze, ale spodziewamy się pewnych trudności, jeśli domyślasz się, o czym mówię. Nasze inwestycje przyczynią się do zmniejszenia bezrobocia, ale byliśmy mocno naciskani...

– Tak? – zainteresował się Dillon.

– No cóż, myślę, że potrzebujemy czegoś, co zapewne można by nazwać ochroną. Ludzi, którzy by nam pomogli.

– A konkretnie kogo?

Skinęła na kelnera i zaczekała, aż znów napełni jej kieliszek.

– Słyszałeś o niejakim Aidanie Bellu?

Dillon o mało nie spadł pod stół ze śmiechu.

– Jezu, dziewczyno, kilka razy próbował mnie zabić. Nasz Aidan był ważną figurą w czymś, co można by nazwać skrajnie prawicową organizacją prawego skrzydła IRA.

– Podobno był odpowiedzialny za śmierć lorda Mountbattena.

– Cóż, mnie również o to oskarżano.

---

* Fenianie – tajna organizacja irlandzka założona około 1858 r. w celu zdobycia niepodległości przez walkę zbrojną i terror. W 1867 r. wzniecili powstanie przeciw W. Brytanii (przyp. red.).

– Powiadają też, że w lutym dziewięćdziesiątego pierwszego ty podłożyłeś bombę na Downing Street*.

– Nigdy mi tego nie udowodniono. – Uśmiechnął się. – No cóż, gdybyśmy mieli trochę więcej czasu....

– Tak czy inaczej jesteś niegrzecznym chłopcem. Zostawmy to jednak. Muszę spotkać się z Aidanem Bellem i spróbować zawrzeć umowę. Chodzi o ochronę, zresztą nazywaj to, jak chcesz. Mieszka w miejscu zwanym Drumcree w County Down.

– Wiem o tym, sam jestem z Down, ale o tym wiesz.

– Chciałabym spotkać się z nim w czwartek. Zabiorę George'a. – Zwróciła się do Kelly'ego. – Czy na ciebie też mogę liczyć?

– Oczywiście, proszę pani.

– Porządny z pana facet – zwrócił się do niego Dillon, a do Kate rzekł: – Prosi mnie pani, żebym tam pojechał? Pracuję dla Fergusona.

– Zatem niech mu pan o tym powie. To nie jest sprawa dla wywiadu. Potrzebne mi wsparcie, to wszystko, a w tym przeklętym kraju pan jest najlepszy. O co chodzi, czyżby brygadier nie pozwalał panu brać dodatkowych zleceń?

– Zapytam, co o tym sądzi zacny brygadier, i dam pani znać.

Później tego samego wieczora, w swoim mieszkaniu, Dillon opowiedział brygadierowi o tej rozmowie. Hannah Bernstein również była obecna. Kiedy Dillon skończył, Ferguson zastanawiał się nad tym, co usłyszał, po czym zwrócił się do Hannah:

– Co o tym sądzisz?

---

* Downing Street – siedziba premiera rządu Wielkiej Brytanii (przyp. red.).

– Na pierwszy rzut oka wygląda to sensownie. Firma Raszidów rzeczywiście chce robić interesy w Ulsterze, zresztą jak wiele innych. Z drugiej strony, to wiarygodne wytłumaczenie. Zbyt wiarygodne.

Ferguson spojrzał na Dillona, który uśmiechnął się i powiedział:

– Zawsze wierzyłem w sens zatrudniania kobiet w policji. Ona ma rację.

Brygadier pokiwał głową.

– Ta sprawa ma drugie dno. Sprawdź, co się za tym kryje, Sean.

– No tak, nagle znów jestem „Sean" – uśmiechnął się Dillon. – A wydawałoby się, że jest tak spokojnie. Rozejrzę się.

– Tylko pozostań w kontakcie – przypomniał mu Ferguson.

Gulfstream Raszidów wystartował z bazy RAF-u w Northolt, lotniska popularnego wśród pilotów prywatnych samolotów, mających kłopoty z korzystaniem z zatłoczonego Heathrow. Oprócz dwóch pilotów, na pokładzie znaleźli się: Kate, Dillon, George i Kelly. Dillon przyszedł ostatni i zaledwie wystartowali, otworzył barek, gdzie znalazł pół butelki whisky Bushmills.

– Nadal nie wiemy, co się dzieje – przypomniała mu Kate.

– Cóż, to proste. Aidan Bell spodziewa się was jutro w Drumcree i wtedy zamierza dowiedzieć się, czego właściwie od niego chcecie. Wylądujemy dziś po południu w Aldergrove. Stamtąd udamy się do małego portu rybackiego Magee, w nocy przepłyniemy do Drumcree i zobaczymy się z Bellem rano.

Zapadła cisza. Po chwili Kate zapytała:

– Jesteś pewny, że to dobry pomysł?

– Ta trzynastometrowa łódź nazywa się „Aran". Nawet sam mógłbym ją poprowadzić, ale w tej sytuacji skorzystam z pomocy naszych towarzyszy podróży. Przybywając od strony morza, lekko wytrącimy Aidana Bella z równowagi, który na pewno się tego nie spodziewa. Będziesz więc miała ułatwione zadanie, sprytna dziewczyno.

– Drań – powiedziała. – Dlaczego myślę o tobie w ten sposób?

– Ponieważ taki jestem.

– No cóż, dopóki jesteś po mojej stronie, dopóty chyba nie muszę się niczego obawiać, prawda? – spytała, chociaż nie wierzyła mu nawet odrobinę.

Najważniejsze było jednak zadanie, które zamierzała wykonać.

Lot przebiegł bez zakłóceń, również przejazd na wybrzeże minął bez żadnych niespodzianek. Magee okazał się małym portem z rodzaju tych, które w dawnych czasach były wykorzystywane głównie przez rybaków. „Aran" kołysała się na wodzie, zacumowana do mola. Tak jak zapowiedział Dillon, miała prawie trzynaście metrów długości. Była zniszczona i zaniedbana, ale została wyposażona w dwie śruby i silnik odpowiedniej mocy, przydatny w tego rodzaju nocnych eskapadach. Z opuszczeniem portu zaczekali do północy.

Zjedli prosty posiłek złożony z jajecznicy i spaghetti bolognese z puszki, a potem opróżnili butelkę taniego wina, zamykaną na zakrętkę zamiast korka.

– Pora ruszać – zdecydował Dillon. – Pogoda nie jest najgorsza, wiatr nam sprzyja. Nie wykorzystamy więcej niż pół mocy silnika. – Skinął na George'a i Kelly'ego. – Wy dwaj odcumujecie, a potem prześpijcie się. Nie wiadomo, co czeka nas jutro rano.

– A co z tobą? – zapytała Kate.

– Poradzę sobie.
– Dillon, pływam na żaglówkach od wielu lat.
– Jeśli okaże się to potrzebne, będziesz mogła mi pomóc.
„Aran" wypłynęła w morze, zanim skończył się przypływ. Widoczność była słaba, zaczął padać deszcz. Kate stała obok Dillona w sterówce. Jedynym źródłem światła była lampa umocowana do stołu, na którym rozłożono mapy.
– Po takim deszczu rano może wystąpić mgła – zauważył Dillon. – Dobrze się czujesz? W tej szufladzie są pigułki przeciwko chorobie morskiej.
– Mówiłam ci, Dillon, już żeglowałam. Zaparzę herbatę i może zrobię kanapkę.
Wkrótce rozszedł się zapach smażonego boczku. Kate wróciła do sterówki z termosem herbaty oraz trzema kanapkami.
– Dwie dla ciebie, jedna dla mnie.
– No proszę, półkrwi Beduinka je boczek.
– Islam to wiara oparta na wspaniałych zasadach moralnych, Dillon.
– A jak one się mają do poglądów dwunastowiecznych chrześcijan z Dauncey?
– Och, oni wszyscy byli twardymi ludźmi, a przekonania moich przodków były bardzo podobne pod wieloma względami. Wiesz co, Dillon? Jestem pół-Beduinką, lecz – na Boga – jestem dumna z moich chrześcijańskich korzeni. Wśród Daunceyów było wielu wielkich ludzi.
Dillon skończył drugą kanapkę z boczkiem.
– Widzę, że to dość niezwykła sytuacja. Nie jestem pewien, czy mógłbym to powiedzieć o wszystkich arystokratach, Kate, ale lubię cię. Co robią George i Kelly?
– Kiedy widziałam ich ostatnio, kładli się spać.
– Dobrze. Ja zrobię to samo. Pochwaliłaś się swoimi żeglarskimi umiejętnościami, więc przekazuję ci ster.

Dillon przespał się cztery godziny na jednej z ław w mesie, powoli rozbudził się i wszedł na pokład. Świtało. Padał deszcz. Łódź łagodnie kołysała się na fali, otoczona gęstą mgłą. Od wybrzeża Down dzieliło ich kilka mil morskich. Otworzył drzwi sterówki i przywitał się z Kate, która stała przy kole sterowym.

– Porządny z ciebie facet. Przejmę ster. – Odsunął ją na bok. – Dobrze się czujesz?

– Świetnie. Od lat tak dobrze się nie bawiłam. Zaparzę herbatę. Mam ci zrobić kanapki?

– Zobacz, czego chcą nasi załoganci. Sądzę, że za godzinę przybijemy do Drumcree. Znam to miejsce z dawnych czasów. Jest tam gospoda zwana „Królewski George". Niech cię nie zwiedzie nazwa. To siedlisko republikanizmu. Wpadniemy tam i zapytamy o Aidana.

– Chcesz go zaskoczyć, to twoja taktyka?

– Och, można tak powiedzieć. Pozwól, że się upewnię, Kate Raszid. Wolałabyś, żebym nie był obecny przy waszej rozmowie, prawda?

– To interesy, Dillon. Pójdzie ze mną George.

– Rozumiem. – Dillon zakręcił kołem. – Co z tą herbatą?

Po chwili George z Kellym przyszli do sterówki i słuchali Dillona, popijając herbatę z kubków.

– Ten pub, „Królewski George", jest zacną feniańską instytucją, tuż przy przystani. Obaj służyliście w Irlandii, więc znacie takie miejsca.

– Powinniśmy wziąć broń? – zapytał Kelly.

– Pomacaj spód stołu. Znajdziesz haczyk.

Kelly odsunął zapadkę i wyciągnął szufladę, w której znajdowało się kilka pistoletów.

– Wezmę do kieszeni waltera, żeby znaleźli go podczas rewizji – rzekł Dillon. – W szufladzie macie trzy kabury na łydkę z dwudziestkamidwójkami o krótkiej lufie. Po jednej dla każdego z nas.

– Myślisz, że będą nam potrzebne? – zapytał go George.

– To indiańskie terytorium, a ja jestem jednym z Indian – uśmiechnął się Dillon. – Więcej wiary, ludzie. Powoli i spokojnie.

Drumcree okazało się niewielką miejscowością położoną nad małym portem. Kilka kutrów tkwiło przy pomoście, a rzadko rozsiane domy wzniesiono z szarego kamienia. Podpłynęli bliżej i przybili do pomostu. George przeskoczył przez reling i przywiązał cumę. W porcie panowała cisza, wokół nie było żywej duszy.

– Pójdziesz tam, Kate – wskazał Dillon. – Oto „Królewski George".

Budynek gospody był stary, niewątpliwie pochodził z osiemnastego wieku. Dach był jednak solidny, a szyld, wypisany czarnymi literami na zielonym tle, wyglądał na niedawno odnowiony.

– Co teraz? – spytała Kate.

– No cóż, jak w każdym porządnym pubie w tych stronach, miejscowi jedzą w nim teraz irlandzkie śniadanie. Moim zdaniem, powinniśmy się do nich przyłączyć, a ja powiem właścicielowi, by zawiadomił Aidana Bella, że się zjawiliśmy.

– I to wystarczy?

– Z pewnością. Już i tak nas namierzyli. – Odwrócił się do mężczyzn i powiedział: – Ty zostań na łodzi, Kelly, i bądź gotowy na wszystko.

Dzwonek nad drzwiami zabrzęczał, gdy wchodzili do pubu. Dillon i George mieli na sobie swetry i kurtki, Kate włożyła czarny kombinezon. W ręku trzymała neseser.

Pod oknem siedzieli trzej mężczyźni i jedli śniadanie. Jeden z nich, w średnim wieku, nosił brodę, pozostali dwaj byli znacznie młodsi. Odwrócili się i obrzucili przybyszów uważnymi spojrzeniami – twardzi mężczyźni o szorstkim obejściu. Za barem pojawił się jeszcze jeden mężczyzna, krępy i siwowłosy.

– Czym mogę służyć?

– Chcielibyśmy zjeść śniadanie – odpowiedziała Kate swoją staranną, poprawną angielszczyzną.

Jej głos przeciął panującą ciszę jak nóż. Mężczyźni pod oknem nie przestawali się gapić.

– Śniadanie? – powtórzył barman.

Dillon wtrącił się do rozmowy, mówiąc z przesadnym północnoirlandzkim akcentem.

– No właśnie, stary, trzy ulsterskie smażonki. Tylko co przypłynęliśmy z Magee. A potem dzwoń do Aidana Bella i powiedz mu, że jest tu lady Kate Raszid.

– Mam dzwonić do Aidana Bella?

– Jak się nazywasz?

– Patrick Murphy – odparł odruchowo zapytany.

– Porządny z ciebie gość, Patrick. A teraz śniadanie i Bell, w dowolnej kolejności.

Murphy zawahał się, a potem rzekł:

– Siadajcie.

Co też uczynili, wybierając stolik na drugim końcu sali, naprzeciwko trzech mężczyzn. Dillon zapalił papierosa. Dobiegły go ściszone głosy, po czym zauważył, że brodaty podnosi się i podchodzi do ich stolika.

– Angielka, tak? – powiedział do Kate, a potem pochylił się i przesunął dłonią po jej policzku. – Mimo to, jeśli chodzi o kobiety, to nawet taka jest lepsza niż żadna. Chodź, angielska dziwko, zobaczymy, co tam masz.

Na stoliku stała duża brązowa butelka z sosem. George chciał wstać, lecz Dillon przytrzymał go, chwycił butelkę i uderzył nią w skroń brodatego, który osunął się na kolana. Kiedy klęczał, z policzkiem pokrytym krwią i sosem, Dillon kopnął go w twarz, rzucając na podłogę.

W tym momencie pojawił się Patrick Murphy i głęboko wstrząśnięty spojrzał na dwóch młodych mężczyzn, którzy zerwali się na równe nogi, i na Dillona, który wyciągnął waltera.

– Nie radzę.

– Rany boskie – rzekł barman – co pan robi? Oni są z IRA.

– Mówiono mi, że jak raz się zacznie, to nie można skończyć – odparł Dillon. – Sam wstąpiłem do organizacji, kiedy miałem dziewiętnaście lat. Powiem ci coś. Martinowi McGuinnessowi nie spodobałaby się ta banda. Chcę powiedzieć, że on dba o swoją rodzinę. – Spojrzał na obu młodzieńców i wskazał leżącego na podłodze. – Wynieście stąd to ścierwo.

Byli wściekli, ale podnieśli brodatego i postawili go na nogi. W tym momencie otworzyły się drzwi i do środka wszedł mężczyzna prawie tak niski jak Dillon, o kręconych czarnych włosach, z kilkudniowym zarostem na twarzy, ubrany w przeciwdeszczową kurtkę. Towarzyszył mu wysoki rudzielec.

– Jezu – powiedział pierwszy z nowo przybyłych. – Czy to ty, Quinn, w takim kiepskim stanie? – Wybuchnął śmiechem. – Komu nadepnąłeś na odcisk?

– Mnie – powiedział Dillon.

Bell odwrócił się, zaskoczony, i jego twarz przybrała wyraz nabożnego podziwu.

– Dobry Boże, to ty?

– Ten sam. Minęło sporo czasu, od kiedy spadochroniarze Angoli gonili nas w kanałach Derry.

– Raz uratowałeś mi życie – rzekł Bell, wyciągając rękę.

– Dwa razy próbowałeś mnie zabić.

– No cóż, więc nasze drogi się rozeszły. – Bell odwrócił się do dwóch mężczyzn, którzy podtrzymywali Quinna. – Zabierzcie go z moich oczu.

Wyprowadzili go z gospody, a Bell zapytał:

– Co się, u diabła, dzieje, Dillon?

– To jest lady Kate Raszid. Zdaje się, że jesteście umówieni.

Bell nie wyglądał na zdziwionego.

– Powinienem wiedzieć. Postanowiłeś mnie zaskoczyć, tak? A jaka jest rola tego drania? – zapytał Kate.

– Pan Dillon jest tutaj prywatnie. Potrzebna mi była jego znajomość County Down, za którą zapłacono mu dziesięć tysięcy funtów.

– Wczoraj przylecieliśmy do Aldergrove. Przeprawiliśmy się w nocy, a za godzinę lub dwie wracamy do Magee. Łatwo zarobione pieniądze.

– Daj spokój, przecież nadal pracujesz dla Fergusona, ty krętaczu. – Bell wyjął z kieszeni browninga. – Ręce do góry. Obszukaj go, Liam.

Rudowłosy obszukał Dillona i znalazł waltera. Zwrócił się do Kate.

– Teraz ty, moja droga.

– Zachowuj się, Casey – skarcił go Bell. – Przecież to dama. – Wskazał na walizeczkę. – Zobacz, co w niej jest.

– Nie, panie Bell – zaprotestowała Kate. – To, co w niej jest, powinno interesować tylko pana i mnie.

– Rozumiem. – Spojrzał na George'a, obszukiwanego właśnie przez Caseya. – To pewnie pani młodszy brat? Pierwszy spadochronowy.

– Jest pan dobrze poinformowany.

– Jak zwykle. A jeśli ten na łodzi to wasz szef ochrony, to też były spadochroniarz i przeklęty protestant.

– Taki jak ty sam – przypomniał mu Dillon i wzruszywszy ramionami, powiedział do Kate: – Niewielu jest ich w IRA.

– Cóż więc tu robię? – spytał Bell.

– Interes, panie Bell. Skoro jest pan tak dobrze poinformowany, to wie pan, że jestem prezesem zarządu Raszid Investments, a także o tym, że zamierzamy rozszerzyć zakres naszej działalności w Ulsterze.

– Tak słyszałem.

– Możemy porozmawiać?

Bell skinął na barmana.

– Przejdziemy na zaplecze. – Podszedł pierwszy do drzwi, otworzył je i przepuścił Kate, po czym zwrócił się do Dillona. – Sean?

– Pan nadal nie rozumie – powiedziała Kate. – Dillon jest tu tylko jako gwarant. Mam interes do pana i tylko do pana, a działam w imieniu Raszid Investments. – Odwróciła się i skinęła na brata. – George, dołącz do nas.

Drzwi zamknęły się za nimi. Dillon odwrócił się i rzekł do barmana:

– Wiem, że jest jeszcze wcześnie, ale mamy zimny i deszczowy dzień, a ja też pochodzę z County, więc uczcijmy to i napijmy się irlandzkiej whisky.

Na zapleczu palił się ogień na kominku, przed którym ustawiono stolik z krzesłami. Kate Raszid zajęła jedno z nich, jej brat stanął za nią. Bell usiadł naprzeciwko i zapalił papierosa. Liam Casey stał za jego plecami.

– A więc chodzi o to, że Raszid Investments mają plany w związku z Irlandią Północną i potrzebują ochrony – zagaił.

– Nie, panie Bell. Nawet Dillon uwierzył w tę bajeczkę. Nie, tak się składa, że nie potrzebujemy pana do pilnowania naszych drzwi. Jest pan na to zbyt utalentowany.

– Naprawdę? A więc do czego jestem wam potrzebny?

– W zeszłym roku zabił pan w Czeczenii generała Petrowskiego i wysadził w powietrze większość jego sztabu. Świat uwierzył, że był to wielki sukces czeczeńskich bojowników, lecz ja wiem, że dostał pan milion funtów od Czeczenów, przebywających na emigracji w Paryżu.

– Wie pani o tym?

– Och, tak.

Miał nieprzeniknioną minę.

– Pani i pani sławny brat, earl, prawda? Człowiek, którego należy traktować poważnie, i z tego co słyszę, najbogatszy na świecie.

– Niezupełnie, ale prawie. Oczywiście, nigdy się nie spotkaliście.

– Można tak powiedzieć. Był porucznikiem grenadierów. W Crossmaglen w South Armagh czekałem z jednym z moich najlepszych snajperów. Pani brat nadchodził z niewielkim patrolem. Mój człowiek miał go na celowniku, a wtedy nadleciał helikopter z następnymi dwudziestoma grenadierami i musieliśmy uciekać.

– Gdybyście go zastrzelili, ominęłaby pana spora suma. – Podsunęła mu walizeczkę. – Niech pan spojrzy.

Otworzył zatrzaski i uniósł wieko. W środku leżały paczki pięćdziesięciofuntowych banknotów.

– Ile? – zapytał.

– Sto tysięcy funtów jako dowód naszej dobrej woli. Może je pan zatrzymać, cokolwiek się zdarzy. To prezent od mojego brata.

– Co miałbym zrobić?

– Może pan o tym wie lub nie, ale Amerykanie i Rosjanie zamierzają wydobywać ropę w Hazarze. Sułtan podpisał z nimi umowę, w ramach której mój brat miał zostać zamordowany.

– Sułtan nie żyje. Czytałem o tym w gazetach.

– No właśnie. Jeden z zamachowców o mało mnie nie zabił. Mój brat go zastrzelił. Taki już jest.

– To mnie nie dziwi. Był w Irlandii, lady Kate. Ja, Dillon, Casey, pani brat – wszyscy jesteśmy ulepieni z tej samej gliny. Jednak nie powiedziała mi pani wszystkiego. Wiem, że jestem draniem, ale sprytnym draniem.

– Dobrze. Powiem panu. Chodzi o moją matkę i niejakiego Igora Gatowa.

Aidan Bell wysłuchał opowieści Kate, po czym rzekł:

– Proszę wybaczyć mi to wyrażenie, ale to wszystko skurwiele. Amerykanie, Rosjanie, Angole. Wykorzystują ludzi, a potem pozbywają się ich jak jednorazowych kubków.

– Dlatego chcemy dać im nauczkę. Mam na myśli bolesną nauczkę. Mierzymy bardzo wysoko. Słyszałam, że Jake Cazalet to porządny człowiek, ale co z tego? Ktoś musi zapłacić za takich ludzi jak Gatow i musi to być ktoś z najwyższych kręgów władzy. Za Jake'a Cazaleta otrzyma pan dwa miliony. Bierze pan tę robotę czy nie?

– Jezu – westchnął Liam Casey.

Bell siedział nieruchomo, wpatrując się w Kate.

– Jesteś szalona, kobieto.

– Nie, mówię zupełnie poważnie. Jak wspomniałam, zatrzyma pan te sto tysięcy, niezależnie od tego, jaką podejmie pan decyzję. – Wyjęła z torebki kartę telefoniczną i długopis. Pospiesznie skreśliła kilka cyfr. – To jest numer mojego telefonu komórkowego. Ma pan tydzień. W przyszły czwartek mój brat i ja będziemy w naszym domu w Trump Tower w Nowym Jorku. Jeżeli jest pan zainteresowany, proszę przybyć z konkretnym planem. Jeśli nie, będzie pan bogatszy o sto tysięcy funtów, bez żadnych zobowiązań.

Bell uśmiechnął się.
– Stawię się, lady Kate. Trump Tower, w czwartek.
Z satysfakcją skinęła głową.
– Wcale nie chodzi o pieniądze, prawda? To dla pana tylko gra, tak jak dla Dillona.
– Cóż, mimo to oczekuję zapłaty, a za tego rodzaju zlecenie spodziewam się nie dwóch, ale trzech milionów dolarów.
Wyciągnął rękę, a Kate uścisnęła mu dłoń.
– Nie wiem czemu, ale wiedziałam, że powie pan coś takiego.
– Zatem spotkamy się za tydzień na Manhattanie.
– Będę tam.
Casey otworzył drzwi przed Kate i wszyscy troje wrócili na salę. Dillon siedział przy barze, popijając whisky Bushmills.
– Chyba trochę za wcześnie, nawet dla ciebie – skarciła go.
– Mamy wracać w deszczowy dzień, dziewczyno. Potrzebuję czegoś na rozgrzewkę. Zakładam, że już tu skończyliśmy?
– Tak, wracamy do Magee – odparła.
Dillon zwrócił się do Bella.
– Mam dziwne przeczucie, Aidanie. Jestem pewien, że jak zwykle bezwzględnie i skutecznie zrobisz to, czego od ciebie chce ta dama.
– Och, możesz na to liczyć, Sean.
Kate, Dillon i George pożegnali się, a Bell i Casey stali w drzwiach, spoglądając za nimi.
– To szaleństwo, Aidanie – powiedział Casey. – Nawet ty nie zdołasz tego dokonać.
Bell uśmiechnął się groźnie.
– I właśnie tu się mylisz, Liamie. Mogę zrobić wszystko. Już coś tłucze mi się po głowie, coś, o czym czytałem

niedawno. Pójdę to sprawdzić. Ta kobieta jest niesamowita. Niepokoi mnie Dillon. Jego obecność trochę mnie dziwi.

– Nazwała go gwarantem.

– Być może, ale on nadal pracuje dla Fergusona, co oznacza, że nie może brać udziału w tym interesie. To nie miałoby sensu.

Wyszli na deszcz i pomaszerowali w kierunku portu w tej samej chwili, gdy Kate Raszid i dwaj towarzyszący jej mężczyźni dotarli do „Aran" i przeszli przez reling – by znaleźć leżącego twarzą do pokładu Kelly'ego. Quinn, brodacz z „Królewskiego George'a", wyszedł ze sterówki. Jego twarz wykrzywiał złośliwy uśmiech. Za nim szli jego dwaj kompani. Wszyscy byli uzbrojeni.

Dillon bez wahania skoczył do morza, zanurkował i przepłynąwszy pod wodą, wynurzył się przy rufie.

– Dorwijcie drania, dorwijcie go! – wrzeszczał Quinn.

Dillon sięgnął do kabury przy łydce i wyjął dwudziestkędwójkę. Kiedy tamci dwaj wychylili się zza relingu, strzelił obu między oczy. Zaskoczony Quinn obejrzał się, a wtedy George Raszid wyjął z kabury na łydce swoją dwudziestkędwójkę i postrzelił go w prawe ramię. Quinn upuścił broń, przechylił się przez reling i zniknął za burtą.

George nadal trzymał broń w pogotowiu do chwili, gdy Dillon wgramolił się na pokład.

– Zostaw go w spokoju i wynośmy się stąd. Zajmijcie się Kellym – rzucił Kate, po czym wszedł do sterówki i zapuścił silnik.

Stojąc na drodze wiodącej z „Królewskiego George'a", Bell i Casey zobaczyli, co się dzieje na pokładzie łodzi.

– Ten gnój Quinn! – warknął Bell. – Wszystko popsuje. Chodź!

Pobiegli w stronę portu. Widzieli przebieg wydarzeń.

Dillon wskoczył do wody i zastrzelił obu pomocników Quinna, który został postrzelony przez George'a Raszida i znalazł się za burtą. Bell i Casey przystanęli. Ujrzeli, jak George odcumował i „Aran" wypłynęła z portu. Zobaczyli Quinna, chwiejnie wychodzącego z wody między łodziami.

– Mam dość, Liam – rzekł Bell. – Tymczasowi IRA mogą iść do diabła. To moje sprawy, a ten skurwiel o mało nie popsuł największego interesu w moim życiu. Tym razem go skasuję.

Pobiegł, a Casey za nim. Quinn wychynął zza rufy rybackiego kutra i zobaczył czekających na niego Bella i Caseya.

– Aidanie? – wymamrotał.

Bell uśmiechnął się.

– Za długo byłeś kamykiem w moim bucie, ty draniu. Dość tego.

Wyrwał z kieszeni browninga i dwukrotnie strzelił Quinnowi w serce. Martwy Irlandczyk runął na wznak w wodę i unosił się na powierzchni, na wpół zanurzony.

– Co mam zrobić z ciałem? – zapytał Casey.

– Nic, zaraz zacznie się odpływ. Zabierze go, a w Drumcree nikt nie będzie zadawał żadnych pytań.

„Aran" wypłynęła w morze. Kate schowała się przed deszczem pod pokładem i użyła kodującego telefonu komórkowego. Paul Raszid odebrał telefon.

– Kochany, to ja.

– Jak poszło?

– Opowiem ci, kiedy się spotkamy. Bell się zgodził.

– Dobrze. Jak Dillon?

– Cóż, okazało się, że Bell i on strzelali kiedyś do siebie.

– A więc kupił twoją bajeczkę?
– Bóg wie. Dillon to skryty drań. Natomiast uratował mi życie.
Zapadła chwila ciszy, a potem Paul Raszid poprosił:
– Wyjaśnij.
Kiedy to zrobiła, powiedział:
– Facet nie bierze jeńców.
– Nie. Pamiętaj, że George też cię nie zawiódł.
– Jestem z niego dumny. Przekaż mu to. Wkrótce się zobaczymy.
„Aran" płynęła naprzód, walcząc z silną falą. Dillon i George byli w sterówce, a Kate przyniosła im herbatę.
– Jak się czuje Kelly? – zapytał Dillon.
– Nic mu nie będzie. Ma tylko sporego guza, to wszystko. Trochę poboli go głowa, ale to twardy gość.
– Doskonale – rzekł Dillon. – Kate, pod stołem z mapami jest pół butelki bushmillsa.
Znalazła ją, wyjęła i nalała do dwóch kubków po herbacie.
– George, chłopcze – rzekł Dillon – jak powiadają moi żydowscy przyjaciele, jesteś prawdziwy *mensz*. Dziękuję.
– Dillon, ja byłem w Sandhurst i pierwszym spadochronowym. Czasem zapominam o nieruchomościach.
– Świetnie – zaśmiał się Dillon. – Zabierz go stąd, Kate.
Kiedy oboje wyszli, wziął jej kodujący telefon komórkowy i zadzwonił do Fergusona. Gdy brygadier zgłosił się, streścił mu ostatnie wydarzenia.
– Chryste, Dillon, znów zabijałeś ludzi.
– Przerzedzam szeregi niegodziwców, Charles.
– W porządku. Czy wierzysz w tę bajeczkę, że wynajmują Bella, żeby chronił inwestycje firmy Raszid Investments?

– Ani przez chwilę.
– W takim razie po co cię w to wciągnęli?
– Powiedziałem ci. Znam Down, a kiedyś znałem Bella. Załatwiłem facetów, którzy chcieli ją załatwić. Wynajęła mnie jako gwaranta i zagwarantowałem jej powrót. Gdyby nie ja, już by nie żyła.
– I nadal uważasz, że coś się za tym kryje?
– Zdecydowanie. Coś dużego, tylko na razie nie mam pojęcia co.
– Wracaj do domu, Sean. Zastanowimy się nad tym.

W domu Aidana Bella Casey parzył w kuchni herbatę. Nagle otworzyły się drzwi i stanął w nich Bell z ilustrowanym magazynem w dłoni.
– Miałem rację. Znalazłem ten artykuł w „Time". Podsunął mi pomysł, jak sprzątnąć Jake'a Cazaleta.
– Oszalałeś – powiedział mu Casey.
– Wcale nie, Liamie. To się może udać. Zaufaj mi.

MANHATTAN

LONDYN

WEST SUSSEX

BIAŁY DOM

4

Aidan Bell i Liam Casey zamieszkali w hotelu „Plaza" obok nowojorskiego Central Parku. Przylecieli samolotem Concorde, w którym miejsca wykupiła im firma Raszid Investments, a na lotnisku czekała na nich limuzyna z szoferem.

– To jest życie, Aidanie – zauważył Casey.

– Niech ci tylko woda sodowa nie uderzy do głowy. Ogól się, weź prysznic i włóż najlepszy garnitur. Ta wieczorna wizyta to jak audiencja u króla. Nie chcę, żeby sobie pomyślał, że wyszliśmy z chlewa.

Sam wziął prysznic w drugiej łazience, a potem włożył białą koszulę, niebieski krawat i luźny granatowy garnitur. Kiedy wrócił do salonu, zastał Caseya stojącego przy oknie i spoglądającego na ulicę.

– Jezu, Aidanie, co za miasto.

Odwrócił się. Miał na sobie czarny garnitur, koszulę oraz krawat.

– Może być?

– Wyglądasz jak bramkarz w „Colosseum" – odparł Bell. – Chodźmy już. Jesteśmy zaledwie kilka przecznic od Trump Tower. Tylko zachowuj się i rób, co ci powiem, a wszystko pójdzie jak z płatka.

W Trump Tower prywatna winda zawiozła ich prosto do apartamentu Raszida. Drzwi otworzyła im Kate. Miała na sobie czarną suknię, a na szyi złoty łańcuszek.

– Witam, panie Bell.

– Miło mi panią widzieć, lady Kate. Co można dać kobiecie, która ma wszystko? – Aidan otworzył neseser i wyjął tanie plastikowe pudełko. – Prezent z County Down. Czterolistna koniczynka – na szczęście.

– Cóż, szczęście będzie nam potrzebne. Panie Casey – skinęła głową – proszę wejść. Moi bracia czekają.

Paul Raszid siedział przy kominku w salonie, razem z Michaelem i George'em. Kate przedstawiła im nowo przybyłych.

– Aidan Bell i jego współpracownik, Liam Casey.

– Panie Bell. – Paul Raszid skinął głową, ale nie wyciągnął ręki na powitanie. – Moja siostra mówiła mi, że o mało nie zastrzelił mnie pan w Crossmaglen.

– To prawda, lecz Allah był dla pana łaskawy – odparł Bell.

– Podoba mi się to, nawet bardzo. Chce pan drinka?

– Może później. Proponuję, abyśmy przeszli do interesów.

– Świetnie. Nie byłoby pana tutaj, gdyby uważał pan, że nie zdoła tego dokonać, mam rację?

– Tak, ma pan rację – odparł Bell. – Zasadniczo można odróżnić dwa rodzaje zamachów. Pierwszy to specjalność szaleńców, którzy przedzierają się przez tłum i z bliska strzelają do prezydentów, nie mając szans ucieczki. Często nawet nie chcą uciekać. To nie dla mnie. Drugi rodzaj to precyzyjny i skomplikowany plan, chociażby jak w „Dniu Szakala", akcja starannie zorganizowana i przewidująca wszystkie ewentualności – taka, jaką przeprowadziłem w Czeczenii, eliminując Petrowskiego i jego sztab. Jednakże takie postępowanie wymaga długotrwałych przygotowań, a odnoszę wrażenie, że chciałby pan jak najszybciej uzyskać efekty.

– Ma pan rację – rzekł Paul. – A zatem?

Bell uśmiechnął się.

– Okazuje się, że jest jeszcze trzeci sposób.

Zapadła cisza. Przerwała ją Kate, która zapytała:

– Jaki, na Boga?

Bell świetnie się bawił.

– No cóż, zastrzelenie prezydenta Stanów Zjednoczonych powinno być niemożliwe – a może absurdalnie łatwe? – Otworzył neseser i wyjął magazyn ilustrowany. – Ameryka, tak jak Wielka Brytania, to państwo demokratyczne. Można tu pisać, co się chce, o wielkich i znanych. To pismo zamieściło artykuł o Jake'u Cazalecie, powszechnie lubianym prezydencie. Utkwił mi w pamięci, więc przejrzałem go i znalazłem w nim wszystko, czego potrzebowałem, żeby przygotować plan zamachu. Teraz muszę tylko dopracować szczegóły.

Zapadła głęboka cisza. Bell uśmiechnął się, zadowolony z efektu.

– Sądzę, że teraz napiję się irlandzkiej whisky, a potem porozmawiamy.

Kilka minut później stał na tarasie, obserwując uliczny ruch, a w tym czasie Paul Raszid oraz pozostali przeczytali artykuł.

– W porządku – powiedział Paul. – Teraz proszę wyjawić nam plan, panie Bell.

– W artykule napisano, że Jake Cazalet lubi spędzać weekendy w starym domu na plaży w Nantucket. W piątki po południu przewożą go tam helikopterem prosto z Białego Domu. Spędza tam weekend, a w niedzielę wieczorem wraca. Jak wiadomo, prezydent ma tylko jedną córkę, która przebywa w Paryżu. Nie lubi zamieszania – jest z tego znany. W Nantucket nawet kucharz i gospodyni pracują na godziny, a nie na stałe. Mieszkają w mieście. Są tam pokoje dla ochroniarzy, ale prezydent nie życzy sobie, by w weekendy pilnowało go więcej niż dwóch agentów służb specjalnych. Trochę poszperałem i dowiedziałem się, że jednym z nich jest niejaki Harper, oficer łącznikowy. Drugi to jego ulubieniec, wielki czarnoskóry były żołnierz piechoty morskiej, Clancy Smith, który brał udział w wojnie w Zatoce. Smith jest bardzo oddany prezydentowi. W razie potrzeby zasłoniłby go własnym ciałem. Aha, jest jeszcze Blake Johnson.

– Tak, artykuł wspomina o nim. Podobno jest dyrektorem Wydziału Spraw Ogólnych w Białym Domu – rzekł Raszid.

– Znanym jako „Piwnica", ponieważ tam się mieści. W rzeczywistości to prywatny oddział uderzeniowy prezydenta, zupełnie niezależny od CIA, FBI czy służb specjalnych. Istnieje od co najmniej dwudziestu lat, na dobrą sprawę nikt nie wie jak długo. Johnson jest także najlepszym przyjacielem Cazaleta, weteranem z Wietnamu, gdzie wykazał się męstwem.

– Jest pan pewny tych wszystkich informacji? – zapytał George Raszid.

– Muszę być. Dlatego nadal żyję.

– No dobrze, a więc mamy skromnego prezydenta, który nie znosi zamieszania wokół siebie i lubi samotność – rzekł Paul. – Cholernie dobrze pan wie, że służby specjalne będą obserwować cały ten teren w promieniu wielu kilometrów.

– No właśnie. – Bell znów otworzył neseser, wyjął mapę i rozłożył ją. – Spójrzcie, przed domem prezydenta ciągnie się plaża, a nad nią wydmy. Natomiast na tyłach są mokradła, rzadkość w Nantucket. To jedyne takie miejsce na wyspie. Są dość rozległe: wysokie trzciny, woda, błoto – istny raj dla obserwatorów ptaków. Cazalet uwielbia tam przebywać. Każdego ranka przebiega ścieżki wraz ze swoim psem. Towarzyszy im poczciwy stary Clancy Smith, wyposażony w broń i krótkofalówkę; poza nim wokół nie ma nikogo, chyba że Blake Johnson akurat ma wolny weekend i postanowi się do nich przyłączyć. Jeśli się tam pojawi, załatwię i jego.

Po tych słowach zapadła cisza, którą przerwała Kate:

– Wszystko to brzmi całkiem sensownie, ale nie sądzę, by zdołał pan dostać się na ten teren, w pobliże prezydenta.

Bell uśmiechnął się.

– Przepraszam, nie wyjaśniłem jeszcze wszystkiego. Pan, milordzie, też ma dom na Long Island, prawda?

– Zgadza się.

– Załatwi mi pan łódź – może być marki Sport Fisherman – oraz kogoś do jej pilotowania. Popłyniemy tam i milę lub dwie od brzegu przejdziemy w dryf. Znajdzie mi pan również aparat Dolphin Speed Trailer. Te aparaty mają dwie potężne baterie, a co ważniejsze, mogą poruszać się pod wodą. Zanurkujemy z Liamem, w czym mamy sporą wprawę, i pod wodą przepłyniemy na moczary.

– I co potem? – zapytał Michael Raszid.

– Później zaczekamy na Cazaleta, zastrzelimy go i oczywiście wyeliminujemy Clancy'ego Smitha, po czym jak najszybciej się wyniesiemy. Minie trochę czasu, zanim Harper zorientuje się w sytuacji, co pozwoli nam wrócić z pomocą dolphina do łodzi. Następnie popłyniemy na Long Island, gdzie będzie czekał gulfstream, żeby zabrać nas i przewieźć do Shannon.

Zamilkł, napełnił szklankę i spytał Paula Raszida:

– Może być?

– Sądzę, że to bardzo dobry plan – odparł spokojnie Paul. Odwrócił się do George'a. – Jeszcze jedną szklaneczkę bushmillsa dla pana Bella.

– Scenariusz jest niezły, ale jeśli zawiedzie? Jeśli coś pójdzie źle? – wtrąciła się Kate.

– W życiu niczego nie można być pewnym – odparł Bell. – Ten plan jest zuchwały, lecz jeśli dobrze się przygotujemy, powinniśmy go zrealizować.

– Lepiej niech się pan postara, żeby się powiódł – rzekł Paul. – Niech pan pamięta, że mamy tylko jedną szansę. Jeśli się panu nie uda, zacieśnią ochronę tak, że mysz się przez nią nie przeciśnie. Wtedy będziemy musieli zadać sobie trochę trudu, żeby znaleźć inny cel.

– Inny cel? – powtórzył Michael.

– Mówiłem ci, bracie. Tak czy inaczej, ktoś musi za to zapłacić.

Milczeli chwilę. Bell zwrócił się do Kate:

– To pani zajmie się przygotowaniem wszystkiego, czego będziemy potrzebowali?

Zerknęła na Paula i kiwnęła głową.

– Tak. Dostarczę to, co będzie wam potrzebne.

– W porządku. Sport Fisherman, o której już wspominałem, Dolphin Speed Trailer, wyposażenie nurka dla dwóch osób.

– Broń? – zapytał Paul Raszid.

– Zasadniczo preferuję karabinki AK z tłumikami. Ponadto dwa browningi z tłumikami Carswella. To tyle. Zupełnie wystarczy, jeśli wszystko dobrze pójdzie.

– Ponownie powiedział pan „jeśli" – zauważyła.

Bell uśmiechnął się.

– Och, lady Kate, zajmuję się tym już dwadzieścia osiem lat, a gdyby pani wiedziała, jak często najlepiej opracowane plany potrafią wziąć w łeb, zrozumiałaby pani mój cynizm. A teraz...

Bell wyjął z kieszeni kartkę papieru.

– Sto tysięcy funtów to był miły gest, lecz pora na

następną wpłatę. Oto numer mojego konta w szwajcarskim banku. Jeden milion zaliczki na poczet trzech.

Paul Raszid kiwnął głową.

– Oczywiście. – Wziął karteczkę i oddał ją Michaelowi. – Zajmij się tym. – Uśmiechnął się. – Myślę, że należy uczcić dzisiejsze spotkanie kieliszkiem szampana.

– Wspaniały pomysł – przytaknął z uśmiechem Bell. – To jednak będzie ostatni. Nie piję podczas pracy.

– To chyba całkiem rozsądne podejście.

Kate rozdała kieliszki. Paul uniósł swój.

– A więc zmieniamy świat.

Bell zaśmiał się.

– Niech pana Bóg ma w swojej opiece. Jeśli pan w to wierzy, to jest pan bardzo naiwny.

Dwa dni później Kate Raszid zawiozła Bella i Caseya na przystań w Quogue, gdzie znaleźli Sport Fishermana o nazwie „Alice Brown" i niejakiego Arthura Granta – pięćdziesięciolatka o siwych włosach związanych w kucyk.

– Panie Grant – powiedziała Kate. – Oto ci panowie, o których panu mówiłam. Chcą popłynąć do Nantucket i trochę ponurkować. Pan Bell zamierza poszukać interesujących wraków. Ma pan na pokładzie dolphina.

Grant nalał sobie jacka danielsa.

– No cóż, panienko, taka jest twoja wersja. Ja uważam, że szukacie czegoś ciekawszego od starych wraków, ale nic mnie to nie obchodzi. Dwadzieścia tysięcy dolarów i jest wasza.

– Zgoda. – Kate odwróciła się do Bella. – Bądźmy w kontakcie – powiedziała i ruszyła schodkami na pokład.

– Ma świetny tyłek – zauważył Grant.

Bell upuścił torbę z bronią i kopnął go w prawą łydkę,

a potem chwycił za ramię i odwrócił. Casey uderzył bykiem. Grant runął na pokład, a Bell pochylił się nad nim.

– Od tej pory należysz do mnie, Grant. Rozumiemy się? Trzymaj język za zębami i rób, co do ciebie należy, a dostaniesz te dwadzieścia kawałków. W przeciwnym razie...

Skinął na Caseya, który wyjął z kieszeni nóż sprężynowy i uwolnił ostrze.

– Przepraszam – powiedział Grant.

– No cóż, lepiej, żebyś zapamiętał te przeprosiny – poradził mu Bell.

W Londynie, w gmachu Ministerstwa Obrony, Ferguson siedział w swoim gabinecie i przeglądał dokumenty, gdy weszła nadinspektor Hannah Bernstein.

– Masz coś dla mnie? – zapytał Ferguson.

– Niewiele, sir. Może ta sprawa z Raszidami?

– Co takiego?

– Według naszych informacji wszyscy są teraz w Nowym Jorku. Istny zjazd rodzinny.

– Co robi Dillon?

– Niech pan wierzy lub nie, ale pojechał z Harrym Salterem do West Sussex, żeby sobie postrzelać. Do bażantów.

– Z Salterem? Tym przeklętym gangsterem?

– Tak, sir. I z młodym Billym.

– Siostrzeńcem Saltera? Wspaniale. On jest niemal równie niebezpieczny jak Harry.

– Nie muszę panu przypominać, że bardzo nam pomógł przy ostatniej robocie w Kornwalii.

– Nie musi mi pani przypominać, pani nadinspektor. Mimo to jest gangsterem.

– Zgodził się bez przygotowania wyskoczyć na spadochronie i zabił czterech ludzi Jacka Foxa. Gdyby nie on, Dillon by zginął.

– Racja. Mimo to jest przeklętym gangsterem.

W Compton House w West Sussex lało jak z cebra, co bynajmniej nie przeszkadzało myśliwym. Harry Salter zapłacił za prawo wzięcia udziału w tym polowaniu, w którym uczestniczyło trzydzieści osób. Właśnie wysiadł z długiego wozu terenowego. Był ubrany w kurtkę, dżinsy, cyklistówkę i gumowe kalosze. Miał sześćdziesiąt pięć lat i twarz, która wyglądała na dobroduszną, dopóki nie przestał się uśmiechać. Jeden z najsławniejszych szefów gangów w Londynie w swojej długiej karierze tylko raz siedział w więzieniu.

Obecnie miał miliony w przemyśle stoczniowym i budowlanym, a ponieważ łamanie prawa weszło mu w krew, nadal był zamieszany w przemyt z kontynentu. Na handlu papierosami można było sporo zarobić. W Europie były niewiarygodnie tanie, a w Wielkiej Brytanii najdroższe na świecie. Nie trzeba zajmować się narkotykami czy prostytucją, skoro przemyt papierosów jest tak dochodowy.

Stał na deszczu.

– Cholernie cudownie. Czyż nie jest cholernie cudownie, Dillon?

– Oto uroki życia na wsi, Harry.

Dillon miał na sobie czapkę i lotniczą kurtkę. Billy Salter, siostrzeniec Harry'ego, dwudziestokilkuletni młodzieniec o bladej twarzy i bystrych oczach, wysiadł jako następny. Nosił czapkę i kurtkę z kapturem. Był prawą ręką wuja i czterokrotnie przebywał w więzieniu, odsiadując stosunkowo krótkie wyroki za napaść oraz ciężkie pobicie.

– To wszystko twoja wina, Dillon. W co mnie wpakowałeś tym razem?

– Zastrzelisz kilka bażantów, Billy, odetchniesz świeżym powietrzem. Ostatnim razem to na ciebie polowano. To chyba miła odmiana.

Z samochodu wysiedli Joe Baxter i Sam Hall, goryle Harry'ego, ubrani w dżinsy i kurtki.

– Co za banda idiotów – wskazał Billy uczestników polowania, wysiadających z dżipów i range roverów. – Po co im ten fikuśny sprzęt? I takie śmieszne spodnie?

– Ludzie tak się ubierają na polowania, Billy – wyjaśnił Dillon. – To stary angielski zwyczaj.

Pozostali członkowie polowania zebrali się wokół postawnego mężczyzny o rumianej twarzy. Dillon usłyszał, że ktoś nazwał go lordem Portmanem. Nagle wszyscy obejrzeli się i niechętnymi spojrzeniami obrzucili grupkę Saltera.

– Dobry Boże, co my tu mamy? – mruknął Portman.

Inny rosły mężczyzna z siwą brodą podszedł do nich.

– Panowie, mogę w czymś pomóc? Jestem głównym łowczym, nazywam się Frobisher.

– Mam nadzieję, mój stary. Jestem Salter, Harry Salter.

Frobisher zdziwił się, zawahał i rzekł do pozostałych:

– To pan Harry Salter, prezes syndykatu.

Tamci spojrzeli ze zgrozą.

– Lord Portman, prawda? – rzekł Salter.

– Zgadza się – odparł lodowatym tonem Portman.

– Prezes Riverside Construction, tak? A więc coś nas łączy.

– Nie potrafię sobie wyobrazić co.

– Wcale nie musi pan sobie wyobrażać. W zeszłym tygodniu przejąłem pańską firmę. Salter Enterprises to ja, a więc można powiedzieć, że pracuje pan dla mnie.

Portman spojrzał na niego z przerażeniem i dosłownie zachwiał się na nogach. Dillon rzekł wesoło do Frobishera:

– Możemy zaczynać?

Joe Baxter i Sam Hall wyjmowali z samochodu torby z bronią. Frobisher powiedział:

– Rozstawimy się w dolince, wzdłuż tego lasku. Każdy otrzyma numer.

– Znamy zasady, stary – powiedział mu Dillon. – Wyjaśniłem je moim przyjaciołom.

Frobisher zawahał się.

– Polowaliście już?

– Tylko na ludzi – powiedział mu Billy. – Bierzmy się do roboty.

Trzy godziny później jechali z powrotem. Baxter prowadził, a Billy otworzył butelkę szampana i rozlał go do plastikowych kubków.

– Co za banda nadętych durniów. Ale mieli miny, kiedy zostałem królem polowania.

– No cóż, trzeba przyznać, że polowanie wymaga odrobiny wprawy – rzekł Dillon.

Harry Salter wypił szampana.

– Miło było spojrzeć na gębę tego cholernego Portmana.

– Zamierzasz go wylać? – zapytał Billy.

– Nie, znam jego osiągnięcia. Jest dobry. Podniosę mu uposażenie. Będzie mi jadł z ręki. To biznes, Billy.

– Cholerne nudziarstwo. – Billy zwrócił się do Dillona. – Masz na widelcu coś, w czym mógłbym ci pomóc?

– Wracamy do Heideggera, Billy? Odczuwasz brak działania i wrażeń?

– Hej, lepiej zwolnij – poradził siostrzeńcowi Harry. – Ostatnim razem ledwie wróciłeś w jednym kawałku.

– Nudzę się, a ty już mi nie pozwalasz przewozić gorzały i papierosów z Amsterdamu.

– Nie chcę, żeby coś ci się stało. Niech inni nadstawiają karku. Ty masz być grzecznym chłopcem.

Billy znów rozlał szampana, a Dillon powiedział cicho:

– Będę o tobie pamiętał.

Młodzieniec uniósł kubek.

– Zawsze do usług, Dillon.

W Gabinecie Owalnym Białego Domu Jake Cazalet siedział przy biurku, przeglądając stertę dokumentów. Wszedł Blake Johnson. Na zewnątrz deszcz bębnił o szyby. Prezydent wyprostował się.

– Co dla mnie masz?

– Hazar, panie prezydencie.

– Śmierć sułtana?

– Zabójstwo sułtana.

Jake Cazalet wstał, podszedł do okna i spojrzał na trawnik. Blake rzekł:

– CIA twierdzi, że nic o tym nie wie. Utrzymują, że są kompletnie zaskoczeni. Pytanie tylko, czy są zdumieni, czy też zmieszani? Wiemy, że ludzie sułtana próbowali zabić Paula Raszida z powodu naszych i rosyjskich interesów naftowych, a sam sułtan był człowiekiem CIA. Uważam, że wiele mogliby nam o tym powiedzieć. A teraz mamy poruszenie wśród członków Hezbollahu, Armii Boga, Miecza Allaha i całej reszty. Coś się szykuje.

– Do licha! – mruknął Jake Cazalet. – To mi się nie podoba.

– To paskudny świat, panie prezydencie. Nie mogę tego udowodnić, ale założę się, że Raszid odpowiedział ciosem na cios.

– Czy Charles Ferguson coś o tym wie?

– Nie mam pojęcia, panie prezydencie. Nie pytałem go o to.

– Zatem zrób to, a potem wróć do mnie.

W Londynie był późny wieczór, gdy Ferguson, siedząc przy kominku w swoim mieszkaniu przy Cavendish Place, prowadził przez telefon rozmowę z Blakiem.

– Nie mogę ci pomóc w sprawie sułtana, chociaż osobiście także uważam, że to robota Raszida.

– Jesteś pewny?

– Całkowicie. Mój zaufany współpracownik, pułkownik Tony Villiers, dowodzi Hazarskimi Zwiadowcami jako oficer kontraktowy. Dzięki niemu jestem dobrze poinformowany. Ponadto podczas wojny w Zatoce dowodził jednostką SAS, w której służył Raszid.

– Cóż, to mi wystarczy. Dzięki, Charles. Co u Dillona?

Ferguson zawahał się.

– No cóż, skoro o nim mowa... Do licha, Blake, to ściśle tajne, ale... Usiądź, przyjacielu, opowiem ci pewną historię, która dotyczy Raszidów.

Opowiedział mu o wszystkim: o Drumcree, Aidanie Bellu, Kate Raszid i zastrzeleniu członków tymczasowej IRA.

– Mój Boże – powiedział Blake. – Co oni chcą zrobić?

– A więc ty też nie wierzysz w tę bajeczkę? Raszidowie prowadzą interesy w Irlandii Północnej, to fakt.

– Możliwe, lecz za tym kryje się coś więcej. No cóż, informuj mnie, Charles. Przekaż moje uściski Hannah i powiedz Dillonowi, żeby na siebie uważał.

Odłożył słuchawkę i wrócił do Gabinetu Owalnego, żeby zawiadomić o wszystkim prezydenta.

Zaczekam tu, a potem wrócę do domu.

[illegible] wieczór, gdy Ferguson siedział przy kominku w swoim [illegible] przy [illegible], przekazał przez telefon rozmowę z Belfastem.

— [illegible] pomoc w sprawie [illegible], chociaż osobiście jakoś wątpię, że to robota [illegible]

— [illegible]

— Całkowicie. [illegible] Williams, dowódca [illegible] kontraktowych. [illegible] nie jestem dobrze poinformowany. [illegible] w [illegible]

— [illegible] — [illegible] Ferguson. — [illegible]

— Na razie, [illegible] [illegible] historie [illegible]

[illegible] Belfaście [illegible] zastrzelenia [illegible] IRA.

— Możliwe — powiedział Blake. — Co on chce zrobić?

— A tym [illegible] amerykańskie. [illegible] w Irlandii Północnej [illegible].

— [illegible] wiele. No cóż, [illegible] Charles. Przekażę [illegible]

[illegible]

Odłożył słuchawkę [illegible]

NANTUCKET

5

Z Long Island do Nantucket przepłynęli w nocy. O północy Arthur Grant przejął ster „Alice Brown" od Caseya. Aidan Bell zmienił go o czwartej rano.

Było jeszcze ciemno. Irlandczyk siedział w obrotowym fotelu, paląc papierosa w skąpym świetle, bijącym od szafki na busolę. Cieszył się każdą minutą samotności i rozmyślał o różnych sprawach.

Ucieszyło go spotkanie z Dillonem, sprawdzonym kompanem sprzed lat, chociaż ich drogi rozeszły się jakiś czas temu. Spodobała mu się ta młoda kobieta – od razu go przejrzała. Miała rację. Nigdy nie chodziło mu o pieniądze. W każdym razie nie przede wszystkim o pieniądze. Pokazał tym Ruskim w Czeczenii: generałowi wpakował kulę w głowę z sześciuset metrów, a jego sztabowców poczęstował pół kilogramem semteksu. Za dawnych dobrych czasów chłopcy z IRA nazywali to ulsterskim gulaszem...

Skrzypnęły otwierane drzwi i wszedł Liam Casey, niosąc herbatę i kanapki.

– Nie mogłem zasnąć. Jak się czujesz?

– Świetnie. – Aidan Bell włączył automatycznego pilota i sięgnął po kanapkę, podczas gdy Casey nalewał herbatę do kubków. – A ty jak się czujesz?

– Poradzę sobie, Aidanie.

– Czemu nie miałbyś sobie poradzić? Przecież udało nam się w Czeczenii, prawda?

Casey też wziął kanapkę.

– Owszem, jednak prezydent Stanów Zjednoczonych, Aidanie, to zupełnie inna sprawa.

– Ale co za przedsięwzięcie! – odparł Bell i z apetytem zjadł następną kanapkę.

– Analizowałem sytuację. A co będzie, jeśli Cazalet nie pojawi się w ten weekend? Czasem ma niespodziewane spotkania.

– Sprawdziłem jego rozkład zajęć, Liamie. Myślisz, że jestem głupi? Ponadto dziś rano obejrzałem wiadomości CNN, korzystając z telewizora, który został umieszczony nad stołem nawigacyjnym. Podano, że prezydent jak zwykle uda się nad morze do starego rodzinnego domu. To Ameryka, tutaj wszystko podaje się do publicznej wiadomości.

– Do licha, dlaczego mi o tym nie powiedziałeś?

– Ponieważ Grant był wtedy w sterówce, a ty układałeś sprzęt na pokładzie. Jakie to ma znaczenie?

Casey podał mu papierosa.

– On mi się nie podoba. To jeden z tych, których mój stary nazywał cwaniaczkami.

– No cóż, jeśli spróbuje mi przeszkadzać, raz na zawsze wyleczę go z cwaniactwa. Nie przejmuj się. Na jego użytek przygotowałem historyjkę, która powinna go uspokoić. Zostaw to mnie. Ty tylko pilnuj, żeby nie zajrzał do worków z bronią.

Wydawało się, że siąpi. Okazało się jednak, że w powietrzu wisi gęsta mgła. „Alice Brown" zbliżyła się na odległość trzech mil do brzegu Nantucket. Arthur Grant stał za sterem, a Aidan Bell i Liam Casey pracowali na rufie, pod osłoną zawieszonych tam sieci rybackich. Już spuścili za burtę dolphin speed trailera, który czekał, przywiązany, gdy sprawdzali sprzęt do nurkowania.

– Mała wstecz – zawołał Bell i Grant wykonał polecenie, tak że łódź praktycznie stała w miejscu, gdy Irlandczycy zakładali stroje do nurkowania.

Grant wychylił się przez okno sterówki.

– Jakieś kłopoty?

– Nie – odkrzyknął Bell. – Przestaw na automatyczne sterowanie i zejdź tutaj.

Bell włożył kurtkę nurka z przymocowanymi zbiornikami powietrza i zapiął pasy, Casey zrobił to samo.

– Jesteś pewny? – zapytał. – Trzy mile w czterdzieści pięć minut?

– To drobiazg przy takiej szybkości, jaką rozwija dolphin. Przez cały czas pozostaniemy na głębokości pięciu metrów. Mamy mnóstwo powietrza i prąd poniesie nas do brzegu.

Wrzucił torbę z bronią do skutera i przypiął linę przytrzymującą pas z balastem. Przyszedł Grant. Bell włożył rękawiczki.

– Cóż, nadeszła chwila prawdy. Popłyniemy do brzegu, wypatrując wraku okrętu z drugiej wojny światowej. To był irlandzki statek o nazwie „Rose of Tralee".

Ta historyjka brzmiała tak wiarygodnie, że sam prawie zaczął w nią wierzyć.

– Przewoził między innymi złoto Bank of England, które zamierzano zdeponować w Bostonie. Ludzie szukali go od lat, ale bezskutecznie. Miesiąc temu dotarłem do osiemdziesięcioletniego człowieka, który pływał na nim, gdy statek został storpedowany przez U-boota. Nic nie wiedział o złocie, zdołał jednak podać mi ostatnią pozycję „Rose of Tralee".

– Jezu Chryste! – zawołał Grant.

– Przestrzegaj reguł, a dostaniesz działkę.

– Jasne. Jestem do usług, panie Bell – rzekł ochoczo Grant.

– W porządku. Zostań tutaj i rzuć kotwicę. Wyciągnij sieci. Udawaj zapracowanego. Jeśli dopisze nam szczęście, to zobaczymy się za trzy godziny.

Bell założył maskę, włożył ustnik do ust, usiadł na burcie, odchylił się w tył i wskoczył do wody. Kiedy odwiązywał cumę dolphina, dołączył do niego Casey. Bell włączył jeden z dwóch potężnych akumulatorów, zajął miejsce z przodu i gdy Casey siadł za nim, skierował podwodny skuter w dół. Wyrównał na pięciu metrach i zwiększył obroty, szybko płynąc w kierunku wyspy.

Jake Cazalet, ubrany w polowy mundur piechoty morskiej USA, stał na ganku starego domu i pił pierwszą tego dnia filiżankę kawy. Obserwował przy tym Murchisona, swojego ukochanego gładkowłosego retrievera, spacerującego po plaży z Clancym Smithem. Za plecami usłyszał kroki i kiedy się odwrócił, zobaczył Blake'a Johnsona, również trzymającego w dłoni filiżankę z kawą.

– Zawsze chętnie tu wracam, Blake – powiedział Cazalet.

– To zrozumiałe, panie prezydencie.

– Nie mogę się doczekać przechadzki. Dołączysz do mnie?

– Jeśli pan wybaczy, to nie dzisiaj. Chociaż to początek weekendu, Harper ma już sporo roboty w pokoju łączności. Z Kapitolu wciąż przychodzą nowe wiadomości. Jeśli pan pozwoli, to zostanę i mu pomogę.

– W porządku, a więc chodź i zobacz moją nową

zabawkę. Podczas minionego tygodnia kazałem ją tutaj przywieźć.

Zaprowadził go na dziedziniec. Drzwi stodoły były otwarte na oścież, a w środku stał na podpórce wielki motocykl.

– To motocykl sportowy Montesa – rzekł prezydent. – Będę się świetnie bawił, jeżdżąc po tych dróżkach.

– Wierzę panu na słowo – powiedział Blake. – Szczerze mówiąc, panie prezydencie, od lat nie dosiadałem motoru.

– Do licha, na tym umiałoby jeździć nawet dziecko. Pasterze pilnowali na nich stad owiec. – Usiadł na motorze, zapuścił silnik, wyjechał i okrążył podwórze. – Widzisz?

Zgasił silnik i postawił motocykl na podpórce.

– Możesz z niego korzystać.

– Nie omieszkam – przytaknął Blake.

Gdy wracali na ganek, znów zaczęło padać. Murchison siedział i czekał z wywieszonym językiem. Clancy Smith, ubrany w żółty sztormiak z kapturem, trzymał w ręku identyczne okrycie. Podał je Cazaletowi.

– Znając pana, panie prezydencie, podejrzewam, że będziemy biegać bez względu na pogodę.

– Jak zawsze masz rację, Clancy. – Cazalet włożył sztormiak i gwizdnął na Murchisona. – Chodź, chłopcze.

Zszedł po schodach i zaczął biec, a pies za nim. Clancy Smith poprawił słuchawkę w uchu, przeniósł ulubionego browninga z kabury pod pachą do prawej kieszeni spodni, po czym ruszył za nimi.

Aidan Bell niewiele pomylił się w swoich obliczeniach. Popychani przez silny prąd, po pięćdziesięciu minutach wpłynęli do przesmyku wiodącego w głąb bagien. Oczywiście, były to słone rozlewiska – wspaniałe dzikie miejsce porośnięte wysokimi trzcinami, poprzecinane siecią głębokich kanałów i płycizn, zamieszkane przez niezliczone stada ptaków, które z gniewnym krzykiem wzbiły się w powietrze, gdy dolphin wynurzył się na powierzchnię.

Bell wprowadził go na łagodnie wznoszący się, piaszczysty brzeg, na który wysiedli razem z Caseyem. Wciągnęli skuter i zdjęli kurtki oraz butle. Wszystko to robili bez słowa. W końcu Bell odpiął torbę z bronią, podał Caseyowi karabinek AK i browninga, po czym sam wziął drugi komplet. Stali tam, wyglądając dziwnie staroświecko w czarnych strojach płetwonurków.

– Jedyna rzecz, jakiej jesteśmy pewni – powiedział Bell – to że on zawsze biega przed śniadaniem. Może to oznaczać, że jest już w połowie drogi i pojawi się lada chwila. Z domu w kierunku trzcin prowadzi tylko jedna droga. Ten odcinek ma trzysta lub czterysta metrów długości. Zaczekamy tam i dostaniemy go, kiedy będzie wychodził lub wracał. Zatem w drogę!

Poszedł pierwszy przez trzciny, całkowicie opanowany, spokojny i kompletnie wyzuty z wszelkich uczuć.

Jake Cazalet, Clancy i Murchison biegli szybko w ulewnym deszczu i prezydent cieszył się każdą chwilą joggingu. Jak często mówił, za każdym razem ubywało mu kilka lat, a ponieważ na jego barkach spoczywały losy świata, było mu to bardzo potrzebne.

Murchison sprężyście biegł tuż za nim, a Clancy był pięć metrów dalej. Przystanęli na starym drewnianym mostku, chroniąc się przed deszczem pod daszkiem.

– Dobrze się pan czuje, panie prezydencie?

– Świetnie. Proszę to, co zwykle.

Clancy wyjął paczkę marlboro, zapalił dwa papierosy

i podał jeden Cazaletowi, który przyjął go i zaciągnął się z wyraźną przyjemnością.

– Niech pan nie pozwoli przyłapać się na tym któremuś z fotoreporterów, panie prezydencie.

– Do diabła, chyba mogę mieć jakąś słabostkę. Dzięki nim przetrwałem Wietnam, a ty wojnę w Zatoce.

– Z całą pewnością – przytaknął Clancy.

Palili w przyjaznym milczeniu, a potem wdeptali niedopałki w ziemię.

– Ruszajmy – powiedział Cazalet, wyszedł na deszcz i znów zaczął biec.

Bell, ukryty w trzcinach obok głównej drogi, zobaczył nadbiegających. Szeptem zwrócił się do Caseya, który schował się po drugiej stronie:

– Są. Przygotuj się. Ty zdejmiesz tajnego agenta, a ja prezydenta. I nie spiesz się. Mamy czas.

Czekał. Nie było potrzeby strzelać z daleka, skoro można to zrobić z odległości kilku kroków. Przyłożył AK do ramienia, mierząc w nadbiegającego Cazaleta.

Stało się to, o czym Bell uprzedził Kate Raszid, a mianowicie, że nawet najlepiej przygotowana akcja może się nie powieść z powodu nadzwyczajnych okoliczności. Zamach na prezydenta Stanów Zjednoczonych zaplanował niezwykle starannie, biorąc pod uwagę wszelkie możliwe zagrożenia i przeszkody. Zapomniał jednak o gładkowłosym retrieverze imieniem Murchison, obdarzonym doskonałym węchem, a także instynktem obronnym. Ulubieniec prezydenta wyczuł obcych. Śmignął jak rakieta, wpadając w trzciny po drugiej stronie drogi.

Casey mimo woli wyprostował się, walcząc z psem

uczepionym jego lewej kostki. Odruchowo nacisnął spust AK.

Jake Cazalet zatrzymał się około dwudziestu pięciu metrów dalej. Aidan Bell pozostał w ukryciu i nacisnął spust. Clancy Smith zareagował błyskawicznie. Skoczył naprzód i odepchnął prezydenta na bok, przyjmując w prawe ramię kulę, którą Bell posłał Cazaletowi.

Zachwiał się, ale nie upadł.

– Na ziemię, panie prezydencie! – krzyknął i wepchnął Cazaleta w gąszcz trzcin.

Cazalet głośno gwizdnął i po chwili Murchison dołączył do nich. Krew płynęła obficie z dziury w żółtym sztormiaku Smitha.

– Mocno oberwałeś? – zapytał Cazalet.

– Nic mi nie będzie. Lepiej niech pan to weźmie, panie prezydencie.

Podał mu browninga.

Bell zawołał cicho do Caseya:

– Nie pokazuj się, Liam!

Następnie wypuścił kilka krótkich serii w kierunku miejsca, gdzie ukryli się Clancy Smith i Cazalet.

Clancy już rozmawiał przez telefon komórkowy, a Cazalet wystrzelił dwa razy.

W pokoju łączności Blake Johnson siedział obok Harpera, przeglądając depesze, kiedy w głośnikach rozległ się głos Clancy'ego i szokujące słowa:

– Blake! Upadek imperium! Upadek imperium!

W tle słychać było strzały.

Blake chwycił mikrofon.

– Gdzie jesteś?

– W połowie głównej drogi. Oberwałem, ale prezydentowi nic nie jest. Ostrzeliwuje się.

– Zaraz tam będę. – Blake odwrócił się do Harpera. – Daj mi broń. Wiesz, co masz robić.

Pobladły Harper dał mu swoją berettę. Blake wsunął ją do prawej kieszeni, wybiegł na ganek i do stodoły. W chwilę później wyjechał z niej na motorze i pomknął drogą.

Zerkając przez trzciny, Clancy i prezydent zobaczyli go z daleka. Oczywiście, Bell i Casey widzieli go również.

– Cholerny idiota – mruknął Cazalet. – Da się zabić. Dlaczego nie zaczekał na kawalerię?

– To nie w jego stylu – rzekł Clancy Smith.

Blake rozpędził motocykl do blisko stu kilometrów na godzinę, co było zawrotną szybkością na wąskiej drodze. Aidan Bell puścił krótką serię przez trzciny. Przednia opona pękła, motor wpadł w poślizg i przechylony szorował bokiem o jezdnię. Blake usiłował zeskoczyć z pędzącej maszyny.

Wtedy Liam Casey popełnił błąd – wyskoczył z trzcin z kałasznikowem w rękach i okrzykiem:

– Mam cię, ty draniu!

Blake błyskawicznie wyrwał z kieszeni berettę i strzelił wielkiemu Irlandczykowi prosto w pierś. Casey krzyknął, odruchowo nacisnął spust karabinka, opróżniając magazynek, i runął twarzą do ziemi obok Bella.

Cazalet, który znajdował się z tyłu, wyprostował się na moment ze słowami:

– Tutaj, Blake. Będę cię osłaniał.

Zniknął w trzcinach, a Blake pokuśtykał równolegle do drogi. Mocno utykał.

– Możesz załatwić tego drania, który mnie trafił, Aidanie? – wymamrotał Casey.

Bell widział, jak Blake znikł w trzcinach.

– Nie warto, Liamie – powiedział.

– Boże, ale to boli.

Bell spojrzał na dziurę w skafandrze płetwonurka. Casey oberwał w brzuch.

– No pewnie.

W oddali dał się słyszeć złowrogi warkot.

– O rany, nadciąga ciężka kawaleria. Pora znikać.

– Co mówisz? – szepnął Liam.

– Mówię, że raz się wygrywa, a innym razem przegrywa. Nie ma się co oszukiwać, nic z tego nie będzie. Popsuł nam szyki ten przeklęty pies. Cazalet na pewno kupi mu złotą obrożę. Przycisnę ich do ziemi i ruszam.

Na oślep puścił serię w kierunku prezydenta i jego obstawy, opróżniając magazynek AK, a potem upuścił go w błoto i podniósł automat Caseya.

– A co ze mną? – jęknął Irlandczyk.

– To rzeczywiście problem, ale już wiem, jak go rozwiązać. Nasi przyjaciele nie wiedzą, że jest nas dwóch. Widzieli tylko jednego. Tak więc będą szczęśliwi, kiedy go znajdą. Drugi w tym czasie ucieknie.

Bell wstał i spod kostiumu nurka wyjął browninga z tłumikiem Carswella.

– Nie możesz mnie tak zostawić, Aidanie – powiedział Liam Casey.

– Wiem.

Bell wymierzył w serce Irlandczyka. Browning wydał stłumione kaszlnięcie, a Liam Casey drgnął i znieruchomiał.

– Przepraszam, stary – powiedział cicho Aidan, a potem schował browninga pod kurtkę i wślizgnął się w trzciny. Czterysta metrów dalej czekał dolphin. To niezbyt daleko. Bell był przekonany, że znajdzie się pod wodą, zanim helikoptery ochrony zaczną przeczesywać teren. Ponadto zaraz odkryją ciało Liama, a to powinno powstrzymać poszukiwania.

Po ostatniej długiej serii zapadła cisza.

– Może dostał – rzekł Cazalet.

– Albo uciekł – zauważył Clancy.

Murchison zaskomlił, uniósł łeb i zaczął węszyć.

– Coś wyczuł – powiedział prezydent.

Dwa nadlatujące helikoptery były już blisko.

– Na pewno nie czekał, aż przylecą – orzekł Blake. – Albo leży, albo już uciekł. Idę.

Zanim prezydent zdążył go powstrzymać, wyszedł z trzcin, stanął na ścieżce i zaczął machać rękami do nadlatujących. Oba helikoptery błyskawicznie opadły i wylądowały. Z każdego wyskoczyło sześciu agentów tajnych służb, ubranych w granatowe mundury szturmowe i uzbrojonych w nowe pistolety maszynowe Parker-Hale. Otoczyli wyłaniającego się z trzcin prezydenta, podtrzymującego Clancy'ego Smitha, który stracił sporo krwi.

– Prezydentowi nic się nie stało – powiedział Blake.

– Tylko dlatego, że Clancy przyjął przeznaczoną dla mnie kulę – rzekł Cazalet. – Wy dwaj, zanieście go do helikoptera.

– Panie prezydencie, zna pan przepisy. Zabieramy pana w bezpieczne miejsce, dopóki nie opanujemy sytuacji – powiedział Blake.

– W porządku, niech cię diabli.

Cazalet gwizdnął na Murchisona i poszedł za agentami niosącymi Clancy'ego Smitha.

Jeden z helikopterów wystartował, a Blake rzekł do pozostałych agentów:

– Był tam jeden człowiek w czarnym stroju nurka. Próbował zastrzelić mnie z kałasznikowa. Na pewno go trafiłem i wpadł w trzciny, o tam. Nie wracajcie bez niego.

Mniej więcej w tym samym czasie Aidan Bell miał już na twarzy maskę i ściągał dolphina do wody. Włączył silnik, wsiadł i przezornie opuścił skuter na głębokość sześciu metrów. Dziesięć minut później był już na otwartym morzu.

Zawsze umiesz się wymknąć, Aidanie, powtarzał sobie w duchu. Zawsze umiesz się wymknąć.

Agenci znaleźli Liama Caseya i w pierwszej chwili uznali, że nie żyje. Jeden z ochroniarzy poszedł po Blake'a. Okazało się, że napastnik żyje, choć jest ciężko ranny. Gdy Blake się pojawił, agenci już nieśli rannego w kierunku helikoptera.

Dowodzący agentami Campbell powiedział:

– Ma paskudną ranę brzucha. Prawdopodobnie to pan go trafił, ale podobno strzelił pan tylko raz?

– Z całą pewnością.

– A zatem był tu ktoś jeszcze. Ktoś strzelił mu w serce, pewnie próbując go uciszyć, ale facet miał pod kurtką browninga, który odbił kulę. Mimo to myślę, że nie wyżyje.

– Cóż, jak najszybciej przewieźmy go do szpitala.

Trzydzieści kilometrów dalej w małej bazie lotniczej, należącej do wojsk ochrony wybrzeża, znajdował się szpital wojskowy.

– Słyszałem, że prezydent już tam jest z Clancym – powiedział Campbell.

– W takim razie ruszajmy.

Nosze z Caseyem, któremu prowizorycznie opatrzono rany wojskowymi środkami opatrunkowymi, zostały umieszczone w helikopterze. Ranny uniósł powieki, rozejrzał się wokół i w jego oczach pojawił się błysk rozpoznania, kiedy zobaczył Blake'a.

– Znam cię – szepnął.

Blake pochylił się nad nim.

– Skąd mnie znasz?

– „Piwnica". Jesteś przyjacielem Dillona. Człowiek z „Piwnicy".

Blake nigdy w życiu nie był tak zdziwiony.

– Do diabła, skąd o tym wiesz?

Jednak Liam Casey nie odpowiedział, gdyż stracił przytomność.

Kiedy w szpitalu zabrano Caseya na salę operacyjną, Blake znalazł prezydenta pijącego kawę w saloniku dla VIP-ów.

– Jak się czuje Clancy, panie prezydencie? – zapytał Blake.

– Nic mu nie będzie. Powinien dostać medal. Do diabła, odepchnął mnie na bok i przyjął kulę, która była przeznaczona dla mnie. Blake, powiedziano mi, że znaleźliście zamachowca. Co z nim?

– Przewieźli go na salę operacyjną. Powiedział kilka słów.

Blake przekazał prezydentowi, co usłyszał z ust Irlandczyka.

– Człowiek „Piwnicy"? Przyjaciel Dillona? Blake, co my tu mamy?

– Bóg wie, sir. Musimy czekać.

– No cóż, jedno jest pewne. Nie chcę rozgłosu. Trzymajcie to w tajemnicy. Nic się nie stało. Ty, ja i służby specjalne – nikt poza tym nie ma prawa niczego się dowiedzieć. Interesuje mnie tylko jedno: kto za tym stoi i dlaczego?

– Mam zadzwonić do Fergusona, panie prezydencie? Ten człowiek wspomniał Dillona. Trzeba to sprawdzić.

– To ma sens. Dobrze, porozmawiaj z Charlesem i Dillonem. Z nikim więcej.

– Nie wspomniał pan Murchisona, on też wie.

Leżący przy elektrycznym grzejniku Murchison wstał, a prezydent pocałował go w nos.

– Rzucił się na tego drania. Uratował mi życie.

– Spisał się, to prawda – uśmiechnął się Blake. – Proszę mi wybaczyć. Zajmę się tym. Proszę ze mną, panie prezydencie.

„Alice Brown" unosiła się i opadała na wysokiej fali, gdy Bell wynurzył się na dolphinie. Grant zarzucił sieci, pozorując połów, a teraz podszedł do relingu na rufie.

Bell odpiął uprząż przytrzymującą butle ze sprężonym powietrzem, a potem zdjął maskę i płetwy. Pistoletu automatycznego pozbył się po drodze.

– Rzuć mi linę.

Grant zmarszczył brwi.

– Gdzie pański przyjaciel?

– Miał wypadek.

To nie spodobało się Grantowi – spochmurniał.

– Do licha, co się właściwie dzieje?

Bell rozpiął kombinezon płetwonurka, wyjął browninga i strzelił Grantowi między oczy. Potem chwycił reling, wciągnął się na pokład, odwrócił się i oddał kilka strzałów do dolphina, który zaczął tonąć. Bell przeszukał szafki w sterówce i znalazł łańcuch, którym owinął w kostkach nogi Granta, zanim zepchnął go do wody. Ciało gładko wślizgnęło się w toń, a Bell szybko wciągnął sieci, zszedł pod pokład, wziął z kambuza butelkę irlandzkiej whisky i pospiesznie wrócił na górę. Poszedł do sterówki, włączył silnik i odpłynął, jedną ręką trzymając koło sterowe, a drugą nalewając sobie dużą porcję whisky do plastikowego kubka. Jednym haustem połknął alkohol, a potem nalał sobie drugą porcję. Znów zaczął padać deszcz.

Michael i George przebywali w Londynie, a Paul i Kate w Quogue. Siedzieli przed kominkiem w bawialni rozległego domu, gdy rozbrzmiał sygnał zakodowanego telefonu komórkowego, należącego do Paula. Okazało się, że dzwoni Bell.

– Jakie wiadomości?

– Spieprzyliśmy. Oto jak było.

Zdał relację z przebiegu wydarzeń, niewiele mijając się z prawdą, nie wspominając tylko o tym, że dobił Liama Caseya.

– Chciałbym powiedzieć, że mi przykro – zakończył – ale nie popełniłem żadnego błędu. Wszystko zrobiłem jak należy. To przez tego przeklętego psa.

– Wie pan, co mówią Arabowie? *Inszallah.* Oto wola Boga – powiedział Paul. – Nie mogliście zastrzelić tego psa?

– Nie było na to czasu.

– Kiedy będzie pan tutaj?

– Za cztery godziny.

– W porządku. Na lotnisku Westhampton będzie czekał gulfstream. Moja siostra też tu jest. Razem wrócimy do Anglii.

– To mi odpowiada.

– A co z Grantem? Nie lubię niedokończonych spraw.

– Zająłem się nim. Jak to się mówi? Arthur Grant wącha kwiatki.

– A jego łódź?

– Pójdzie na dno.

– A więc do zobaczenia wkrótce.

Paul Raszid rozłączył się i rzekł do Kate:

– Pies, gładkowłosy retriever, wabiący się Murchison. – Zaśmiał się, a potem znów sięgnął po telefon. – Zadzwonię na lotnisko i powiem im, żeby przygotowali gulfstreama. Potem napijemy się szampana.

– Za co wypijemy?

– To oczywiste – za Murchisona.

W szpitalu lekarze przez cztery godziny walczyli o życie Clancy'ego Smitha. Samolotem przywieziono dwóch dodatkowych specjalistów od chirurgii urazowej i osobistego lekarza prezydenta.

Po operacji Cazalet i Blake przez chwilę siedzieli przy Clancym, któremu podano środki przeciwbólowe. Przy łóżku pacjenta pojawił się ordynator oddziału i osobiście go zbadał.

– Będziesz jak nowy, synu, jak nowy.

– Dziękuję, sir.

Chirurg skinął na Cazaleta, który wyszedł z nim na korytarz.

– Panie prezydencie, czy moje podejrzenia są słuszne?

– Robercie, musisz mi przysiąc, że zachowasz to dla siebie.

– Oczywiście, panie prezydencie. Z ciała tego człowieka wyjęliśmy pocisk z kałasznikowa. Sam takim oberwałem w Wietnamie.

– No cóż, ten był przeznaczony dla mnie, a ten dzielny człowiek odepchnął mnie i zasłonił własnym ciałem.

– Wielki Boże. A ten drugi?

– To zamachowiec, chociaż podejrzewamy, że mógł tam być jeszcze jeden. Przeżyje?

– Wątpliwe. Będę pana informował na bieżąco. Dopiero co skończyliśmy go operować.

Cazalet wrócił do pokoju i przekazał opinie lekarza Blake'owi.

– Miejmy nadzieję, że wyżyje. To dziwna sprawa i chciałbym, żeby odpowiedział na kilka pytań.

Clancy zasypiał.

– Mam jeszcze tę pracę, panie prezydencie, czy też każe pan Campbellowi, żeby zastąpił mnie innym agentem?

– Po moim trupie.

Clancy uśmiechnął się z trudem.

– Boże, nie mogę się śmiać, ale musi pan przyznać, że to zabawne.

– Prześpij się, Clancy – poradził mu Blake. – Prezydent i ja pójdziemy coś zjeść. Wpadniemy do ciebie później.

Aidan Bell miał naprawdę dużo szczęścia, kiedy podpływał „Alice Brown" do Quogue. Gęsta mgła zasłoniła wszystko. Milę od brzegu spuścił na wodę zaopatrzony w silniczek ponton, a potem zszedł pod pokład i otworzył zawory denne. Opuścił łódź, włączył silnik, odpłynął kawałek i zatrzymał się. Nie musiał długo czekać. „Alice Brown" powoli osiadała w wodzie, aż fale zaczęły omywać jej pokład, a wtedy szybko poszła na dno. Bell ponownie uruchomił silnik, maksymalnie otworzył przepustnicę i pomknął w kierunku brzegu.

W bawialni Paul Raszid rozmawiał z siostrą.

– I co teraz? – spytała.

– Mam zapasowy cel. Jak zawsze.

– Mogę wiedzieć jaki?

– Wkrótce się dowiesz.

Ktoś zapukał w drewnianą okiennicę, zasłaniającą drzwi na taras. Paul odsunął szufladę biurka i wyjął waltera. Wstał i skinął na Kate. Za oknem stał Bell. Kiedy otworzyła drzwi, wszedł i uśmiechnął się. Nadal miał na sobie kombinezon płetwonurka.

– Boże, błogosław wszystkich obecnych, jak mówią fenianie.

– Nic się panu nie stało?

– Nie. Proszę tylko pokazać mi, gdzie jest mój bagaż. Wezmę prysznic i przebiorę się.

– Proszę to zrobić szybko – rzekł Paul. – Za godzinę odlatujemy z Westhampton.

– Czy mówili już coś w telewizji?

– Ani słowa, co wydaje mi się dziwne. Nie podoba mi się to, lepiej się pospieszmy.

W szpitalu prezydent spał na wąskim łóżku w jednej z dyżurek lekarskich. Blake drzemał w fotelu w holu. Zbudził się, gdy ktoś położył dłoń na jego ramieniu. Podniósł głowę i zobaczył stojącego nad nim lekarza w stopniu pułkownika wojsk lotniczych.

– Panie Johnson. Odzyskał przytomność, ale nie na długo. Jest bardzo słaby.

– Mogę z nim porozmawiać?

– Może pan spróbować, ale nie sądzę, żeby wiele powiedział.

– Świetnie. Proszę zawiadomić prezydenta. Już idę.

Liam Casey leżał na łóżku, podłączony do respiratora. Był przy nim pielęgniarz.

– Mam pozwolenie na rozmowę z pacjentem – powiedział Blake.

– Nie sądzę, żeby coś pan z niego wyciągnął, sir.

Blake przysunął sobie krzesło, a Casey otworzył oczy. Powiedział zaskakująco silnym głosem:

– Umieram, prawda? I to pan mnie postrzelił. Człowiek „Piwnicy". Przyjaciel Dillona.

– Jak mam pana nazywać?

Za plecami Blake'a do pokoju weszli prezydent z pułkownikiem.

– Sądzę, że to już nie ma teraz znaczenia. Casey... Liam Casey.

– Skąd pochodzisz?

Z kącika ust rannego pociekła strużka krwi i pielęgniarz szybko ją wytarł.

– Drumcree. County Down.

Blake zmarszczył brwi.

– Słyszałem o Drumcree, ale dlaczego nazywasz mnie człowiekiem „Piwnicy" i przyjacielem Dillona?

– Bo widziałem zdjęcie w aktach i wszystkie dane.

– Jakich aktach?

– Przygotowanych przez Aidana przed zamachem na prezydenta. Obiecała nam trzy miliony, kiedy spotkaliśmy się w Drumcree. Okłamała Dillona, powiedziała mu, że potrzebna jej ochrona jakichś interesów w Irlandii Północnej.

– O co tu chodzi, do diabła? – zdziwił się prezydent.

Blake uciszył go machnięciem ręki i rzekł do Liama:

– A więc Aidan to Aidan Bell, który był tu i próbował zastrzelić prezydenta?

– Postrzelił mnie. Myślałem, że ze mną koniec. Zostawił mnie tam, a sam uciekł.

– Jak?

– Pod wodą. – Głos Caseya znów nabrał siły. – Łódź rybacka trzy mile dalej... potem na Long Island. Mają tam dom. Raszidowie mają tam dom.

– Spokojnie – uciszał go Blake. – Dlaczego? Czemu Paul Raszid chciał śmierci prezydenta?

– Amerykański podwójny agent... Gatow... zabił jego matkę, więc on zabił jego. Arabowie próbowali zabić Raszida z powodu jakichś jankeskich i ruskich interesów naftowych. Chciał się zemścić.

– I nie udało mu się, tak? Chybiliście?

– Zgadza się. Teraz wybierze inny cel.

– Kto nim będzie?

– Raszid powiedział, że sam go wybierze.

Nagle Casey skrzywił się i skręcił z bólu. Pielęgniarz i pułkownik doskoczyli do niego, a Blake odsunął się od łóżka.

– Proszę panów o opuszczenie sali – rzekł pułkownik.

Przeszli do saloniku.

– Rany boskie, co się dzieje? – zapytał prezydent.

– Pozwolę sobie przypomnieć moją niedawną rozmowę z Charlesem Fergusonem, dotyczącą wycieczki lady Kate Raszid do County Down, w towarzystwie Seana Dillona jako ochroniarza.

Kiedy Blake nieco później wrócił do saloniku, prezydent pił kawę. Spojrzał na wchodzącego.

– No i?

– Casey nie żyje. Rozmawiałem z Harperem z pokoju łączności. Sprawdza sytuację na Long Island. Szukają Raszidów.

Cazalet zapalił marlboro, wstał i zaczął spacerować po pokoju.

– To przechodzi ludzkie pojęcie. Raszid jest jednym z najbogatszych ludzi na świecie, arystokratą, bohaterem wojennym i przyjacielem królewskiej rodziny. Do diabła, kto by w to uwierzył?

– Nikt, panie prezydencie, nikt. Casey nie żyje, a jego zeznania można z łatwością podważyć jako majaczenia umierającego. Nie mamy żadnych dowodów przeciwko Raszidowi.

– Dlaczego próbował zrobić coś takiego, Blake? – dziwił się Cazalet.

– Podejrzewam, że z wielu powodów. Próba zamachu na jego życie, śmierć matki, perfidia sułtana, chęć uwolnienia Hazaru spod naszych wpływów – nie jest tego mało. Proszę nie zapominać, że jesteśmy Wielkim Szatanem. Raszid może być Anglikiem, lecz jest też Beduinem... Raczej nie chciałbym spotkać się z nim sam na sam na pustyni.

– Ma tyle pieniędzy – rzekł Cazalet. – One nic dla niego nie znaczą, prawda?

– Są tylko narzędziem. Pozwalają mu dostać się w dowolne miejsce helikopterem i przemierzać pustynię na wielbłądzie, razem z beduińskimi wojownikami. Poza tym nic nie jest dla niego ważne.

Zapadła długa cisza. Cazalet miał coś powiedzieć, kiedy zadzwonił telefon. Odebrał go, posłuchał swego rozmówcy i rzekł krótko:

– Świetnie, wkrótce zadzwonię.

A do Blake'a powiedział:

– Harper. Raszidowie byli w Quogue.

– I?

– Odlecieli z Westhampton cztery godziny temu. Paul i Kate Raszid, oraz jakiś Thomas Anderson.

– Aidan Bell?

– Tak sądzę. Kierowali się do bazy RAF-u w Northolt.

Zapadło długie milczenie, które przerwał Cazalet.

– Nic nie możemy zrobić, prawda?

– Szczerze mówiąc, w tej chwili nic. Porozmawiam jednak z Fergusonem.

– Racja. Zrób to, a potem leć do Londynu. Chcę, żebyś uzgodnił dalsze działania z brygadierem.

– Właśnie niedawno został awansowany do stopnia generała.

– Naprawdę? Bardzo się cieszę. Porozmawiam z nim osobiście, zanim odlecisz, ale teraz... To był piekielnie ciężki dzień, więc wracajmy do domu.

Na pokładzie gulfstreama, w połowie drogi przez Atlantyk, Raszidowie i Bell zjedli lekki posiłek złożony z wędzonego łososia, sałatki i szampana.

Bell opróżnił kieliszek.

– I co teraz?

– Zastanawiam się – odparł Paul Raszid. – Mam drobne kłopoty w Hazarze. Będę w kontakcie.

– Niech pan nie zwleka za długo. Na razie wrócę do Drumcree i sprawdzę, czy wszystko w porządku i czy chłopcy zachowują się jak należy.

– Jestem pewna, że tak – powiedziała Kate Raszid.

– Zazwyczaj są grzeczni. Nie chcą mnie denerwować.

Aidan Bell odchylił oparcie fotela i zamknął oczy. W końcu był to bardzo długi dzień.

LONDYN

6

Późnym wieczorem tego samego dnia, w mieszkaniu przy Cavendish Place, Ferguson wraz z Dillonem i Hannah Bernstein omawiali ostatnie wydarzenia. Po kilkugodzinnej dyskusji, która nie doprowadziła do żadnych konkluzji, Ferguson powiedział:

– No dobrze, wynajęty morderca, ten Aidan Bell, na nasze szczęście nie zdołał zabić Cazaleta. Nie sądzę, żeby chcieli spróbować ponownie. Kto będzie następnym celem?

– Ponieważ najwidoczniej żywi urazę zarówno do Amerykanów, jak i do Rosjan, generale, to co z rosyjskim premierem? – spytała Hannah Bernstein.

– Nie wyobrażam sobie Aidana Bella działającego w Moskwie – zauważył Dillon.

– Wcale nie musiałby tam jechać – rzekł ponuro Ferguson. – Ich premier ma w przyszłym miesiącu przyjechać do Londynu. Będzie tu siedemnastego. Jakieś rozmowy handlowe z naszym premierem.

– Nie wiedziałam o tym, sir – powiedziała Hannah.

– Nie podano tego do publicznej wiadomości, pani nadinspektor. Tak więc mamy tylko sześć tygodni.

– Uważa pan, że to on będzie celem?

– Skąd mam wiedzieć? A ty jak sądzisz, Dillon?
– To trochę nazbyt oczywiste.
– Tak samo jak zamach na Cazaleta, patrząc wstecz. Cudowna rzecz, taka analiza sytuacji po fakcie. Kto jeszcze wchodzi w grę?
– Nie mam pojęcia – odparł Dillon. – Dlatego najlepiej będzie po prostu go zapytać.
Zapadła pełna zdumienia cisza.
– Zapytać go? – powtórzyła Hannah Bernstein.
– Brygadierze... przepraszam, generale – poprawił się Dillon. – W przeszłości nieraz mówił pan o sytuacjach, kiedy oni wiedzieli, że my wiemy, a my wiedzieliśmy, że oni o tym wiedzą.
– Racja.
– A więc przyciśnijmy trochę naszego dobrego earla. Upewnijmy się, że on wie, iż my wiemy i patrzymy mu na ręce.
Ferguson skinął głową.
– Niezły pomysł. Może to nim wstrząśnie i sprawi, że będzie nieostrożny. Zaczekajmy do rana, aż przyleci Blake. Potem odwiedzimy Raszida w jego jaskini.
– Wspaniale – rzekł Dillon. – Zakładamy, że Aidan wrócił do Drumcree. Upewnijmy się co do tego. Możesz posłać tam ludzi, żeby to sprawdzili, Charles? Aidan Bell nie ma już Liama Caseya, ale nadal są tam tacy jak Tommy Brosnan, Jack O'Hara, Pat Costello i wielu innych łobuzów. Upewnijmy się, że wszyscy wciąż są w County Down.

Następnego wieczoru Raszidowie weszli do „Fortepianowego Baru" hotelu „Dorchester" i zastali Dillona siedzącego przy fortepianie. Miał na sobie granatowy garnitur i gwardyjski krawat, a w kąciku ust tkwił niezapalony papieros.

Kate Raszid podeszła i pstryknęła złotą zapalniczką, podając mu ogień.

– Teraz lepiej?

– Niech panią Bóg ma w opiece, szanowna pani, zacna z ciebie dusza i wybaczę ci, tylko dlatego, że szczerze cię kocham. Oszukałaś mnie podczas naszej wycieczki do Drumcree.

– Oszukałam?

– Właśnie. Wiem wszystko o dobrym starym Aidanie, który próbował zabić prezydenta. Bardzo nieładnie, Kate, naprawdę bardzo nieładnie.

Zapaliła papierosa.

– Dillon, nie wiedziałam, że z ciebie taki fantasta.

– Och, jestem zatwardziałym realistą, słodziutka. Aidan Bell próbował wykończyć Liama Caseya w Nantucket, ale Casey miał pod kombinezonem płetwonurka browning, od którego odbiła się kula. Oczywiście, wcześniej otrzymał postrzał w brzuch.

– Interesujące.

– Pożył jeszcze trochę i zdążył wszystko wyśpiewać. Bardzo rozzłościł się na Aidana, ten nasz Liam.

– No cóż, mogę to sobie wyobrazić – powiedziała Kate.

– Generał Ferguson będzie tu lada chwila, razem z Blakiem Johnsonem. Wyjaśniłbym ci, kim jest Blake, ale jestem pewien, że już to wiesz, prawda, Kate? Na waszym miejscu wysłuchałbym tego, co mają do powiedzenia.

Odwróciła się i wróciła do braci. Przez chwilę naradzali się, a zanim skończyli, na szczycie prowadzących do baru schodów pojawił się Charles Ferguson z Hannah Bernstein i Blakiem Johnsonem. Podeszli do stolika Raszidów. Kiedy usiedli, Dillon wstał od fortepianu i dołączył do towarzystwa.

– Ach, pan Dillon – powitał go Paul Raszid. – Co za niezwykłą historię opowiedział pan mojej siostrze.

– Relacja naocznego świadka będzie jeszcze lepsza – zauważył Blake. – Byłem tam. Liam Casey próbował mnie zastrzelić i to ja postrzeliłem go w brzuch. Ta rana w końcu go zabiła, ale najpierw pogawędziliśmy sobie, Liam i ja.

– Wiecie, że niczego nie jesteście w stanie udowodnić – zauważył Paul Raszid.

– Ma pan rację – przyznał Charles Ferguson. – Jeszcze nie. Jednak zamierzamy to zrobić, panie Raszid. Będę pana ścigał choćby na koniec świata. Dillon czeka na to z niecierpliwością.

– Istotnie? – uśmiechnął się Paul Raszid. – Można by odnieść wrażenie, że wypowiada mi pan wojnę, generale Ferguson.

– Właśnie.

Paul wstał, a pozostali członkowie rodziny poszli w jego ślady.

– Niech się pan strzeże. Mogę ogłosić dżihad przeciwko panu. Sądzę jednak, że to nie będzie potrzebne. Prawda, generale?

Po tych słowach opuścił bar, a reszta rodziny poszła w ślad za nim.

– Naprawdę go przycisnąłeś, Charles – rzekł Blake.

– Taki miałem zamiar – odparł Ferguson. Spojrzał na Hannah. – Co o tym sądzisz?

– Nie pozostawiłeś mu dużego pola manewru.

– A ty? – zapytał Dillona.

– Ja? – zaśmiał się Dillon. – Jestem prostym irlandzkim chłopcem. Intryguje mnie tylko fakt, że on niczemu nie zaprzeczył.

– No cóż, teraz to twoja sprawa. Pilnuj go.

– Powinniśmy pamiętać o tym, co powiedział – przypomniała Hannah. – On mógłby naprawdę wypowiedzieć nam wojnę.

– Czy kwestionuje pani moje rozkazy, pani nadinspektor?

– Och, nie martw się. – Dillon uspokoił generała. – Ona potrafi słuchać rozkazów, obojętnie jak głupich. Tylko ja, na ogół, miewam inne zdanie, ale jak obaj wiemy, zawsze byłem odrobinę szalony. Chodźmy, Hannah, naprawiać świat.

Wyszli, pozostawiając Blake'a z Fergusonem.

W mieszkaniu Kate Paul przeprowadził naradę wojenną.

– Co za pech, że Casey nie zginął na miejscu.

– Co gorsza, Aidan Bell nie powiedział nam całej prawdy – zauważyła Kate.

– Racja, lecz po takich ludziach jak on nie można oczekiwać niczego innego. Na razie nie zamierzam wyciągać z tego konsekwencji. Nadal jest mi potrzebny.

– I co teraz?

– Myślę, że dam nauczkę Fergusonowi. Zagroził mi Dillonem, a więc czas pozbyć się Dillona. – Odwrócił się do Michaela. – To twoje zadanie. Wykorzystaj Alego Salima z Partii Boga. Jest dość dobry. Tylko sam trzymaj się od tego z daleka.

– Kiedy mam to zrobić, bracie?

– Tak szybko, jak to możliwe. Jeśli okaże się, że Salim jest wolny, to natychmiast. Tylko zostaw to jemu. Jesteś dobrym chłopcem, Michaelu, ale nie przeciwko Dillonom tego świata. – A do Kate powiedział: – Zgadzasz się?

– Całkowicie. – Pocałowała Michaela w policzek. – Zleć to Alemu Salimowi.

Dillon i Hannah zjedli lekką kolację w małej włoskiej restauracji w pobliżu jego domu przy Stable Mews. Omawiali zaistniałą sytuację z wszystkich możliwych stron, aż mieli po dziurki w nosie tego tematu. Najbardziej niepokoiło ich to, czy Ferguson nie zanadto przycisnął Paula Raszida. Pili kawę i herbatę, kiedy wszedł Blake, który wcześniej zadzwonił na komórkę Dillona.

– Chcesz coś zjeść? – zapytał Dillon.

– Zjadłem jajecznicę u Fergusona – odparł i zajął miejsce przy stoliku. – Rozmawiałem z prezydentem. Uważa, że Paul Raszid to świr.

– Jeśli nim jest, to ja też. – Dillon pokręcił głową. – Przekleństwem obecnej cywilizacji wydaje się niepohamowana ekspansja kapitalizmu oraz ingerencja zaślepionych żądzą zysku zachodnich firm w takich miejscach jak państwa Półwyspu Arabskiego. Nasze społeczeństwa uważają, że pieniądz jest wszystkim. Powinniśmy zdawać sobie sprawę z tego, że możemy mieć do czynienia z ludźmi, dla których jest on niczym, a do takich należą Beduini.

– Raszid może tak mówić – rzekł Blake – bo jest bardzo bogaty.

– Owszem, ale wszystkie jego przedsiębiorstwa są kontrolowane przez Raszidów, a więc przez Beduinów. Na tym polega różnica. No nic, macie ochotę wpaść do mnie na drinka?

– Zaparkowałem samochód na ulicy, możemy podjechać – powiedział Blake, po czym wyszedł razem z Hannah z restauracji.

Dillon został z tyłu, żeby zapłacić rachunek, i do nich dołączył.

Ali Salim był Arabem z Jemenu. Miał trzydzieści pięć lat, pałające spojrzenie i smagłą twarz, noszącą ślady po ospie. Bez wahania podjął się wykonania zlecenia, nie przejmując się zbytnio sławą trudnego przeciwnika, jaką cieszył się Dillon.

– Mówisz, że mogą być z nim kłopoty? Sprawię mu więcej kłopotów, niż miał kiedykolwiek w życiu. Gdzie go znajdę?

Siedzieli w bawialni w mieszkaniu Alego, w pobliżu Marble Arch. Arab otworzył szufladę i wyjął berettę. Michael był niespokojny i zatroskany. Ten człowiek irytował go, ale brat wyraźnie kazał mu trzymać się z daleka od tej sprawy.

– Mieszka przy Stable Mews, numer pięć. Zawiozę cię tam moim samochodem i wysadzę w pobliżu.

– No to w drogę.

Ali wyjął z szuflady pęk kluczy.

– Wytrychy, na wypadek gdyby był nieobecny i nie mógł sam otworzyć drzwi. Zatrzymaj pieniądze. Zrobię to dla twojego ukochanego brata, który jest przykładem dla nas wszystkich.

Dillon otworzył frontowe drzwi i wszedł pierwszy, Hannah za nim, a Blake na końcu. Przeszli przez hol i weszli do salonu, gdzie za drzwiami stał Ali Salim. Z całej siły uderzył Dillona w skroń lufą pistoletu. Dillon chwiejnie przeszedł kilka kroków i przyklęknął.

Następnie Ali złapał Hannah i ją pchnął tak, że upadła na kolana. Torebka wypadła jej z ręki. Salim zrobił półobrót i uderzył pistoletem Blake'a, po czym usiłował wycelować w Dillona. Hannah chwyciła torebkę i wyciągnęła z niej waltera. Ali dostrzegł to kątem oka, obrócił się i strzelił do niej trzy razy.

Blake złapał go za nogi i ponownie oberwał lufą w głowę. Dillon zerwał się i sięgnął pod okap kominka, gdzie trzymał swego asa w rękawie – waltera zawieszonego na gwoździu za osłonę spustu.

Błyskawicznie odwrócił się i strzelił Alemu Salimowi między oczy. Pocisk odrzucił mordercę w tył, ciskając go na podłogę. Ali wił się, z zakrwawioną twarzą, gdy Dillon podszedł bliżej i wpakował mu dwie kule w serce.

Potem przyklęknął i sprawdził puls Hannah. Oczy miała szkliste i mocno krwawiła. Wstał, podszedł do telefonu i wybrał numer.

– Rosedene? Dillon. Wydarzył się poważny wypadek. Nadinspektor Bernstein została trzykrotnie postrzelona. Jesteśmy w moim domu. Przyjeżdżajcie natychmiast.

Poszedł do sypialni, przetrząsnął szafkę i wrócił z dwoma polowymi opatrunkami.

– Zabandażuj ją, Blake – powiedział do Johnsona, który już doszedł do siebie i był na nogach.

Sam podszedł do Alego, obszukał go i znalazł portfel. Zadzwonił do Fergusona. Kiedy generał podniósł słuchawkę, Dillon powiedział:

– Wróciłem do domu z Hannah i Blakiem, a tu czekał arabski morderca. Według dokumentów, nazywa się Ali Salim. Trzykrotnie postrzelił Hannah, zanim go zastrzeliłem. Dzwoniłem do Rosedene. Karetka już tu jedzie.

– Dobry Boże – westchnął Ferguson.

– Na twoim miejscu zawiadomiłbym jej rodzinę. Poślę z nią Blake'a. Ja zostanę tutaj, żeby posprzątać.

– Zostaw to mnie – rzekł Ferguson, z trudem zachowując spokój.

Dillon znów wybrał jakiś numer. Rozmówca natychmiast podniósł słuchawkę.

– Tu Dillon, mam dla was zlecenie. Natychmiastowe. Przesyłka znajduje się w moim mieszkaniu.

– Już jedziemy – powiedział głos.

Dillon odłożył słuchawkę i w tej samej chwili ktoś

zadzwonił do drzwi. Otworzył je i wpuścił trzech sanitariuszy z noszami. Zaprowadził ich do saloniku, gdzie Blake klęczał przy Hannah.

– Trzy rany postrzałowe. Z bliskiej odległości. Użyto tej beretty.

Podał im broń Alego Salima.

Sprawnie zajęli się ranną, podłączyli ją do kroplówki i położyli na noszach.

– Jedź z nią, Blake. Wkrótce do ciebie dołączę.

Nagle został sam. Zapalił papierosa, a potem podszedł do barku i nalał sobie bushmillsa. Wypił i lekko drżącą dłonią nalał sobie drugą szklaneczkę.

– Jeśli ona umrze, Raszidzie – powiedział cicho – niech cię Bóg ma w opiece.

Po chwili znów odezwał się dzwonek u drzwi. Dillon otworzył i wpuścił dwóch smutnie wyglądających mężczyzn w średnim wieku, w czarnych garniturach i płaszczach. Jeden z nich miał przerzucony przez ramię worek na zwłoki.

– Tutaj.

Zaprowadził ich do salonu.

– O rany – powiedział starszy z przybyłych na widok Alego Salima.

– Nie żałuj go. Trzykrotnie postrzelił nadinspektor Bernstein. Mam jego portfel. Przekażę go generałowi Fergusonowi. Zabierzcie go z moich oczu.

– Oczywiście, panie Dillon.

Sean, rozmyślając o Hannah Bernstein i wszystkim, co razem przeżyli, nie czuł gniewu, tylko niepokój. W końcu było to ryzyko związane z ich zawodem. Później przyjdzie czas na gniew. Włożył skórzany płaszcz i opuścił mieszkanie.

Wiele osób uważało Arnolda Bernsteina za najlepszego chirurga w Londynie, lecz operowanie własnej córki byłoby niezgodne z etyką lekarską, więc operację przeprowadził profesor Henry Bellamy z Guy's Hospital. Pozwolił Bernsteinowi obserwować przebieg zabiegu, czego reguły nie zabraniały.

Ferguson, Dillon i Blake siedzieli w poczekalni razem z rabinem Julianem Bernsteinem, dziadkiem Hannah. Podczas czterogodzinnej operacji nie odeszli ani na chwilę, z niepokojem czekając na jej wynik.

– Pewnie nienawidzi pan nas wszystkich, rabinie – zagaił Ferguson.

Staruszek wzruszył ramionami.

– Dlaczego miałbym was nienawidzić? Sama wybrała takie życie.

W drzwiach sali operacyjnej pojawili się Bellamy i Bernstein, nadal w chirurgicznych fartuchach. Wszyscy wstali, a Ferguson zapytał:

– Jak to wygląda?

– Bardzo źle – odparł Bellamy. – Uszkodzony żołądek, pęcherz, śledziona. Jedna kula przebiła płuco, ma też naruszony kręgosłup. To cud, że jeszcze żyje.

– Ale żyje? – zapytał Dillon.

– Tak, Sean, żyje i myślę, że wyjdzie z tego, ale to trochę potrwa.

– Dzięki Bogu – powiedział rabin.

– Nie, dzięki wielkiemu chirurgowi – poprawił go Dillon, odwrócił się i odszedł.

– Sean, zaczekaj! – zawołał za nim Ferguson.

Razem z Blakiem dogonili Dillona przy frontowych schodach.

– Sean, nie zamierzasz chyba popełnić jakiegoś głupstwa?

– Dlaczego miałbym to robić?

– Ja zajmę się Raszidem.

Dillon stanął, spoglądając mu w oczy.

– Więc zrób to szybko, generale, bardzo szybko. Jeśli ty tego nie zrobisz, ja cię wyręczę. Pamiętaj o tym.

Zszedł po schodach i zniknął im z oczu.

– Jest wściekły, generale – rzekł Blake Johnson.

– Tak – i ma prawo być wściekły. Porozmawiajmy o tym, Blake. Może uda nam się znaleźć jakieś wyjście z sytuacji.

Po przyjściu do swojego mieszkania Dillon wkrótce usłyszał dzwonek do drzwi. Otworzył je i zobaczył starszego z dwóch mężczyzn, którzy zabrali ciało Alego Salima. Przybyły trzymał w ręku czarną plastikową urnę.

– Ach, panie Dillon. Pomyślałem, że zechce pan to zatrzymać.

– Co to takiego?

– Prochy Alego Salima.

Dillon wziął urnę.

– Doskonale. Dopilnuję, żeby trafiły we właściwe ręce.

Odstawił prochy na stolik w holu, a potem zadzwonił do Fergusona.

– To ja. Kiedy zobaczymy się z Raszidem?

– Nie jestem pewien.

– A ja jestem. Powiedziałem ci: jeśli ty tego nie zrobisz, to sam się tym zajmę.

– Nie ma takiej potrzeby. Zadzwonię do niego i zorganizuję spotkanie.

– Zrób to.

Dillon odłożył słuchawkę.

Ku jego zdziwieniu znów zabrzmiał dzwonek u drzwi wejściowych. Kiedy je otworzył, ujrzał stojącego na progu rabina Bernsteina.

– Mogę wejść, Seanie?
– Oczywiście.
Staruszek wszedł za Dillonem do salonu. Irlandczyk nagle odwrócił się i spytał z niepokojem w głosie:
– Nie pogorszyło się jej, prawda?
– Wygląda na to, że nie. Nie znam wszystkich szczegółów, ale wiem, co by ci powiedziała, gdyby była w stanie to zrobić. Nie chciałaby zemsty.
– Ale ja chcę. Przykro mi, rabinie, lecz w tym momencie odczuwam nieodpartą chęć przestrzegania nakazów Starego Testamentu. Oko za oko.
– Kochasz moją wnuczkę?
– Nie tak, jak myślisz. Bóg wie, że ona mnie nie kocha. Prawdę mówiąc, nienawidzi tego, co sobą reprezentuję, ale to nie ma żadnego znaczenia. Bardzo ją cenię i nie zamierzam pozwolić na to, by człowiek odpowiedzialny za jej cierpienie uniknął kary.
– Nawet jeśli Hannah tego nie pragnie?
– Nawet. A zatem, rabinie, jeśli nie chcesz zostać i wypić filiżanki herbaty, to lepiej już idź.
– Niech ci Bóg pomoże, Sean.
Staruszek podszedł do drzwi.
– Przykro mi, rabinie – powiedział Dillon i otworzył drzwi przed Julianem Bernsteinem.
Następnie zatrzymał się na chwilę, zamyślony, po czym wrócił do salonu.
Zadzwonił telefon. Sean podniósł słuchawkę i usłyszał głos Fergusona:
– Jutro o jedenastej w moim mieszkaniu. Spodziewam się, że przyjdziesz.

Nazajutrz rano Dillon zatelefonował do szpitala i dowiedział się, że stan Hannah jest nadal poważny, ale stabilny. Nie wątpił, że miała najlepszą opiekę w Londynie, gdyż Ferguson z pewnością tego dopilnował, tak więc w tej sprawie Dillon nic nie musiał robić.

Włożył czarne spodnie, lotniczą kurtkę i biały szalik, wziął plastikową urnę, po czym wyszedł, zmierzając do mieszkania Fergusona, mieszczącego się przy Cavendish Place. Zastał Fergusona siedzącego przy kominku. Generał jadł grzanki i pił herbatę.

– Nie miałem czasu na śniadanie. Blake jest w moim gabinecie i rozmawia przez telefon z prezydentem. Zaraz do nas dołączy. Zrób sobie drinka. Wiem, że wcześnie zaczynasz.

Dillon rozcieńczył bushmillsa odrobiną wody sodowej.

– Jakieś wieści z County Down?

– Bell rzeczywiście tam jest, tak samo jak jego trzej pomagierzy: Tommy Brosnan, Jack O'Hara i Pat Costello. Dobrze zapamiętałem nazwiska?

– Doskonale.

Wszedł Blake.

– Prezydent przesyła najlepsze życzenia. Bardzo zmartwił się wiadomością o Hannah. Gdyby czegoś potrzebowała, jakiegoś specjalnego zabiegu, wystarczy nam powiedzieć.

Ktoś zadzwonił do frontowych drzwi. Po chwili zjawił się Kim i badawczo spojrzał na Fergusona, który skinął głową. Do pokoju weszli Paul i Kate Raszid.

Ona miała na sobie czarny kostium, a on skórzaną lotniczą kurtkę, pulower i spodnie. Oboje byli uśmiechnięci.

– Napijecie się czegoś? – spytał Ferguson. – Kawy, herbaty, czegoś mocniejszego?

– Ja proszę to, co pije Dillon – odparła Kate.

– Dziewczyno, whisky bushmillsa o jedenastej piętnaście rano? Do tego trzeba mieć wprawę.

– Cóż, mogę spróbować, prawda?

– Jak uważasz. – Dillon nalał jej whisky i dodał trochę wody sodowej. – Mówią, że to najstarsza whisky na świecie. Robiona przez irlandzkich mnichów.

Upiła łyk.

– Nadinspektor Bernstein dziś nam nie towarzyszy?

– No cóż, ma szczęście, że jeszcze żyje. Leży w szpitalu na oddziale intensywnej opieki. Kiedy wczoraj wieczorem wróciliśmy do mojego mieszkania, czekał tam niejaki Ali Salim. Sprawdziłem go. Fanatyk z Partii Boga.

Zapadła chwilowa cisza. Potem Paul Raszid zapytał:

– Jak czuje się nadinspektor?

– Och, świetnie – odparł Dillon. – Ma uszkodzony żołądek, pęcherz, śledzionę, kulę w lewym płucu i naruszony kręgosłup. Właśnie takich obrażeń można oczekiwać, kiedy fanatyk religijny trzykrotnie postrzeli kobietę.

Kate Raszid zapytała ostrożnie:

– A ten Ali Salim? Gdzie on jest?

– Tam, na stole. – Dillon ruchem głowy wskazał czarną plastikową urnę. – Przyniosłem wam jego prochy. Trzy kilogramy. Tylko tyle z niego zostało. – Nalał sobie następną szklaneczkę bushmillsa. – Och, nie powiedziałem wam? Zastrzeliłem drania, kiedy postrzelił nadinspektor Bernstein.

Kate upiła łyk whisky, a potem wyjęła z torebki papierośnicę i wyciągnęła papierosa. Dillon podał jej ogień.

– Proszę.

– Przykro mi – powiedziała. – Z powodu nadinspektor Bernstein.

– O tak, jakże by inaczej? W końcu to nie miała być ona, tylko ja.

– Naprawdę?

Tę wymianę złośliwości przerwał Paul Raszid, zwracając się do Fergusona.

– Po co nas pan tu wezwał, generale?

– Ponieważ już pana ostrzegłem, panie Raszid, a teraz mówię bez ogródek: jeśli chce pan wojny, będzie pan ją miał. Nie lubię, kiedy strzela się do moich ludzi. Przypilnujemy pana tak, że trudno będzie panu oddychać, nie mówiąc już o realizacji „alternatywnego celu".

– Naprawdę? A jakiż to cel?

– Nie mogę nie zauważyć, że w przyszłym miesiącu przyjeżdża tu rosyjski premier.

– Ach tak? – zadziwił się Paul Raszid. – Interesujące.

– I nazbyt oczywiste – rzekł Dillon i zapalił następnego papierosa. – Nie, tu chodzi o coś innego.

– Będziecie musieli zaczekać, żeby to zobaczyć, prawda? – Paul Raszid wstał. – Chodź, Kate.

Blake nie wytrzymał.

– Na miłość boską, panie Raszid, dlaczego? Śmierć pańskiej matki była tragedią, ale czemu posuwać się tak daleko?

– Jest pan porządnym człowiekiem, panie Johnson, ale niczego pan nie rozumie. Ludzie interesu z pańskiego kraju myślą, że mogą wkraczać, gdzie chcą, przejmować władzę, korumpować miejscowe społeczeństwo i deptać prawa człowieka. Rosjanie są tacy sami. No cóż, nie uda wam się to na ziemi Raszidów, w Hazarze. Mam wystarczające fundusze, aby poprzeć walkę moją i mojego ludu. Przemyśl to sobie, przyjacielu. Obiecuję wam, że na pewno was zaskoczę. – Odwrócił się do siostry. – Kate?

Dillon odprowadził ich do drzwi.

– Spróbuj przemówić mu do rozsądku, Kate.

– Mój brat zawsze jest rozsądny, Dillon – odparła.

– A więc wszyscy spotkamy się na tej samej ciemnej drodze do piekła.

– Ciekawa myśl – zauważył Paul.

Dillon zamknął drzwi za Raszidami, a Ferguson powiedział:
– No cóż, wiemy, na czym stoimy.
– Wiemy tylko, co myśli – zauważył Blake. – Nie mamy jednak pojęcia, co zamierza zrobić.
– Piłka na twojej połowie – rzekł Dillon do Fergusona.
Generał skinął głową.
– Spróbujmy najprostszego rozwiązania. Niewiele uzyskamy, podsłuchując rozmowy telefoniczne Raszida, a szyfrujące telefony komórkowe jeszcze bardziej utrudniają podsłuch. Mimo to spróbujemy. Możemy go obserwować. Jego samoloty muszą skądś startować, a pasażerów należy zgłaszać z wyprzedzeniem. Niech sprawdza ich Wydział Specjalny Scotland Yardu. W tym czasie my zajmiemy się wszystkimi jego znajomymi i przyjaciółmi. Może dopisze nam szczęście.
– Im prędzej, tym lepiej – zauważył Blake. – Niepokoi mnie energia rozpierająca Raszida.
– Co zamierzasz zrobić? – spytał Dillon.
– Wracam do domu. Mam wiele do omówienia z prezydentem. Gdybyście jednak potrzebowali mnie albo czegokolwiek, dajcie znać, a zaraz tu wrócę.

W samochodzie Paul Raszid podniósł szybę oddzielającą ich od kierowcy i powiedział do Kate:
– Rzucą przeciwko nam wszystkie swoje siły.
– Wiem. Teraz nie zdołamy nawet zbliżyć się do premiera.
– On nigdy nie był moim celem, Kate.
Zdziwiła się.
– Ależ Paul, zakładałam, że to on!
– Chciałem, żeby wszyscy tak sądzili, i udało się. Oczywiście, Dillon przejrzał tę grę.

– A więc kto ma być celem?

– Tylko do twojej wiadomości: Rada Starszych w Hazarze, wszystkich jej dwunastu członków. To nieruchawy twór. Obawiają się mnie i chcą się mnie pozbyć. Boją się – i całkiem słusznie – moich wpływów wśród pustynnych plemion. Kiedy pozbędę się ich i zostanę sułtanem, ogłoszę dżihad. A wtedy wielkie mocarstwa będą miały powody do obaw.

– Jak zamierzasz to zrobić?

– Rada zbierze się za dwa tygodnie. Chcę, żebyś poleciała do Hazaru i poczyniła przygotowania. Ja dołączę do ciebie później.

– A jak chcesz wykonać to zadanie?

– Za pomocą bomby, a do tego potrzebna mi będzie wiedza Bella. Będziesz musiała skontaktować się z nim tak, żeby nikt się o tym nie dowiedział. Porozmawiaj z Kellym. On zna różnych dziwnych ludzi, którzy wykonują nielegalne loty małymi samolotami z dawnych lotnisk RAF-u. Szybkie kursy, tam i z powrotem. Załatwi to.

– Jak każesz, bracie.

7

Kelly spisał się doskonale. Znalazł w Surrey firmę o nazwie Grover's Air Taxis, której właścicielem był podejrzanie wyglądający mężczyzna w średnim wieku, w brązowej kurtce pilota narzuconej na kombinezon. Spotkali się przed barakiem z czasów drugiej wojny światowej, za którym wznosiły się dwa hangary.

– Mick – rzekł Kelly – oto pani Smith. Do roboty. Jak ci mówiłem, lecimy do Drumcree. Najwyżej parę godzin i jesteśmy z powrotem.

– Żaden kłopot. Wyprowadzę starego titana. Ma dwa silniki i spuszczane schodki.

– Nie będzie kłopotów z podejściem?

– Żadnych. Kiedy będziemy jeszcze daleko nad morzem, zejdę na sześćset metrów. Piętnaście kilometrów od Drumcree jest stare lądowisko RAF-u. Wykorzystam moje tamtejsze kontakty, żeby podstawili samochód.

– Porządny z ciebie gość. Ruszajmy.

– Chwila. Co z moją forsą?

Kate otworzyła neseser, wyjęła brązową papierową kopertę i wręczyła ją Groverowi.

– Możemy już lecieć?

Grover zawahał się, wyraźnie miał ochotę zajrzeć do koperty, ale w końcu się rozmyślił.

– W porządku.

Odwrócił się i poprowadził ich do dalej stojącego hangaru. Rozsunął drzwi i pokazał titana.

– Ile czasu potrwa lot? – spytał Kelly.

– Półtorej godziny, przy sprzyjającym wietrze.

– Świetnie. Do roboty – rzekł Kelly i podprowadził Kate do schodków.

Kiedy znaleźli się nad Morzem Irlandzkim, wyjęła telefon komórkowy i zadzwoniła do Bella. Zastała go w kuchni na jego farmie.

– Tu Kate Raszid. Będę za godzinę.

– Co takiego?

– Chcę porozmawiać o wakacjach w znacznie cieplejszym klimacie.

– O czym mówimy?

– O dniu wypłaty. O alternatywnym celu.

– O, to coś dla mnie, słodziutka.

– Jest ze mną Kelly – powiedziała. – Zobaczymy się w „Królewskim George'u".

Dillon postanowił śledzić Kate Raszid. Nie powiadomiwszy Fergusona, ubrany w czarną skórę, wsiadł na motocykl Suzuki. Skrył się w niewielkim lasku, obserwując przez lornetkę Kelly'ego, Kate i Grovera. Kiedy wsiedli do titana i wystartowali, Dillon pojechał do odległej o półtora kilometra wioski i wszedł do gospody. Było pusto, na kominku palił się ogień. Z kuchni wyszła kobieta w średnim wieku.

– Mój Boże, cicho jak w salonie pogrzebowym – zagaił wesoło Dillon.

– Jest wcześnie – odparła. – Czego pan sobie życzy?

– Whisky Bushmills i wskazówek, jak dojechać do

Hoxby – skłamał i zapalił papierosa. – Zdziwiłem się, widząc startujący przed chwilą samolot.

– Och, to z firmy Micka Grovera. Niedaleko stąd, przy drodze, jest stara baza lotnicza z czasów wojny. On opryskuje pola i czasem przewozi pasażerów. Nie wiem, jak wiąże koniec z końcem.

– Ja też nie wiem, jak mi się to udaje – uśmiechnął się Dillon. – Można coś zjeść?

– Pewnie.

– Pojadę załatwić sprawy w Hoxby. Pewnie wpadnę tu w powrotnej drodze.

Grover został przy samolocie, a Kelly zawiózł Kate do „Królewskiego George'a". Wczesnym rankiem było tam pusto i tylko barman, Patrick Murphy, czytał przy barze wydawany w Belfaście „Telegraph".

– Aidan Bell spodziewa się nas – powiedział Kelly.

– Jest na zapleczu.

Kate poszła przodem, otworzyła drzwi, a Kelly wszedł za nią. Aidan Bell siedział przy kominku, paląc papierosa i pijąc herbatę.

– Lady Kate, miło znów panią widzieć. Co miałbym zrobić?

– To, co pan umie najlepiej. Dwunastu arabskich szejków, Rada Starszych Hazaru, sprawia nam kłopoty.

– No tak, nie możemy na to pozwolić. Z drugiej strony zawsze sądziłem, że bracia poszliby za Raszidem w ogień. Również ci z pustynnych plemion.

– Pójdą, kiedy pozbędziemy się szejków. Do tego potrzebny jest nam ekspert. Rezultat musi być spektakularny. Chcemy, by dał do myślenia pewnym ludziom. Oczywiście, będzie pan potrzebował pomocników.

– Żaden problem. Mam kilku chłopców.

– Czy są dobrzy?

– Cóż, nadal żyją, no nie? A odpowiadając na pani pytanie, nie spieprzą sprawy tak jak Liam. Zatem co z naszą umową?

– Raszid Investments prowadzi roboty budowlane w Hazarze i jutro lecę tam, pod pretekstem ich nadzorowania. Chcę, żeby pojutrze stawił się pan ze swoimi „chłopcami" na lotnisku w Dublinie. Nasz gulfstream przewiezie was do Hazaru. Po przylocie omówimy dalsze szczegóły.

– Co planujecie? Zasadzkę? Bombę? Jak chcecie to zrobić?

– Omówimy wszystko na miejscu. Tam też otrzymacie wszelkie potrzebne wyposażenie.

– A ja mam tylko obmyślić najlepszy sposób pozbycia się dwunastu arabskich szejków i wyjścia z tego z jajami?

Zaśmiała się chrapliwie.

– To ostatnie też należy wziąć pod uwagę. My, Arabowie, jesteśmy strasznymi ludźmi. Musi pan uważać.

Uśmiechnął się.

– Będę, lady Kate. Może być pani tego pewna. – Sięgnął po filiżankę. – Wzniosę toast. Za pokój, lady Kate, za pokój. – Upił łyk. – Niech go diabli.

Dillon zjadł w pubie placek pasterza i wypił szklaneczkę słabego sancerre. Tym razem w gospodzie było kilkunastu klientów; sądząc z wyglądu, sami miejscowi. Skończył posiłek, zapłacił i wsiadł na suzuki. Po piętnastu minutach znów był w lasku nieopodal małego lotniska. Czekał.

Siedział tam, rozmyślając i paląc, osłonięty przed siąpiącym deszczem, aż w końcu usłyszał w oddali warkot silników. Po chwili pojawił się titan, podchodząc do lądowania. Dillon patrzył przez lornetkę na Kate Raszid i Kelly'ego, którzy rozmawiali z Groverem. Potem kobieta oraz jej ochroniarz wsiedli do mercedesa i odjechali. Dillon odczekał kilka minut, po czym wskoczył na motocykl i pojechał na lotnisko.

W starym baraku z blachy falistej Grover postawił czajnik na piecyku i wtedy usłyszał pomruk nadjeżdżającego motocykla. Podszedł do okna i zobaczył Dillona, który zsiadł i postawił suzuki na podpórce. Irlandczyk zdjął kask, zostawił go na motorze, pchnął drzwi baraku i wszedł.

– Czym mogę służyć? – zapytał Grover.

– Informacjami – odparł Dillon. – Odpowiedziami. Niczym więcej.

– O czym pan mówi, do diabła?

Dillon rozpiął skórzany kombinezon, wyjął waltera z tłumikiem i zestrzelił czajnik z pieca.

Grover był przerażony.

– Rany boskie, co jest?

– No cóż, zacznijmy od tego, że jeśli powiesz mi to, co chcę wiedzieć, nie zostaniesz inwalidą. A teraz do rzeczy. Kim byli ludzie, których przed chwilą przywiozłeś?

– Facet nazwiskiem Kelly. Znam go od lat. A kobieta? Powiedział, że nazywa się Smith.

– Naprawdę? Gdzie z nimi byłeś? – Grover zawahał się i Dillon strzelił w podłogę między jego stopami. – Dokąd ich zabrałeś?

– Do County Down. Miejscowość nazywa się Drumcree.

– Z kim się tam widzieli?

– A skąd mam wiedzieć, do licha? Zostawili mnie na lotnisku, a sami pojechali do wioski. Nic więcej nie wiem. Po godzinie i piętnastu minutach wrócili i polecieliśmy z powrotem.

– I niczego nie słyszałeś?

– Nie. Nie mam pojęcia, o co im chodziło.

Dillon znów uniósł waltera, a Grover podskoczył.

– Ja nic nie wiem, naprawdę! – Zastanowił się. – Podczas całego lotu rozmawiali tylko przez chwilę. Słyszałem jak powiedziała „hazard”, „hazar”, albo coś takiego.

– Grzeczny chłopiec. – Dillon schował waltera. – Teraz wyjaśnijmy sobie coś. To, co zaszło, pozostaje między tobą, mną i Bogiem. Ani słowa Kelly'emu czy pani Smith. Rozumiesz? Jeśli nie, to wrócę i przestrzelę ci prawe kolano.

– Słuchaj, nic mnie to nie obchodzi. Wynoś się stąd i zostaw mnie w spokoju.

– Nie zmuszaj mnie, żebym tu wracał.

Dillon wyszedł, założył kask i odjechał. Grover odprowadzał go wzrokiem.

– Do diabła z nimi. Do diabła z nimi wszystkimi.

Przynajmniej miał trzy i pół tysiąca funtów w brązowej papierowej kopercie. Otworzył szafkę i wyjął drugi czajnik.

Dillon odjechał kawałek, zatrzymał się w zatoczce i zadzwonił z telefonu komórkowego do Fergusona.

– Gdzie się podziewasz, do diabła? – spytał ze złością generał.

– Jeśli się zamkniesz, stary opoju, to ci wyjaśnię.

Kiedy skończył, Ferguson powiedział:

– W porządku, więc widziała się z Bellem i pilot słyszał, jak mówiła o Hazarze. I co z tego?

– Mam pewne podejrzenia – odparł Dillon. – Dom Raszidów w Mayfair. Założyliście tam podsłuch?

– Tak. Oczywiście nie powiedzieli niczego ciekawego. Są na to zbyt sprytni.

– No cóż, jeśli będziemy robili to, czego się spodziewają, może nabiorą zbytniej pewności siebie. Nie od rzeczy byłoby posłać twoich chłopców z wydziału łączności, żeby pokręcili się na ulicy pod ich domem, udając zajętych przy linii telefonicznej albo czymś w tym rodzaju. A może zamontują mikrofon kierunkowy? Kto wie? W ten sposób mogliby dowiedzieć się czegoś ciekawego.

– No dobrze, zostaw to mnie. Tylko wracaj tu zaraz. Jesteś mi potrzebny.

Dillon wrócił do swojego mieszkania przy Stable Mews, przebrał się, po czym pojechał do szpitala, żeby sprawdzić, jak czuje się Hannah. Przełożona pielęgniarek dała mu tylko pięć minut. Hannah leżała z wysoko podpartą głową, spowita mnóstwem rurek i przewodów. Dillon posiedział przy niej chwilę i wyszedł, zły i rozgoryczony. Na korytarzu spotkał profesora Bellamy'ego.

– Jaki werdykt? – zapytał.

– Nie najlepszy, Sean. Myślę, że przeżyje, ale nie mogę powiedzieć, w jakim będzie stanie.

– Trzeba mieć nadzieję – odparł Dillon.

W mieszkaniu przy Cavendish Place zastał Fergusona przy biurku, przeglądającego papiery.

– Mam kilka ciekawych wiadomości. Za pomocą twojego mikrofonu kierunkowego zarejestrowaliśmy rozmowę Raszida z siostrą. Powiedział: „Kiedy Bell i jego trzej pomocnicy przylecą do Hazaru, będziesz już na nich czekała".

– Ach tak? To rzeczywiście interesujące. I co robimy?

– Raczej co ty zrobisz, Dillon. Zdaje się, że polecisz do Hazaru.

– Generale, gdy tylko się tam pokażę, będę miał poważne kłopoty.

– Będziemy musieli zaryzykować. Nie mogę mieć ich na oku, jeśli nie polecisz tam, żeby narobić cholernego zamieszania, jak zawsze. Znalazłem bardzo dobry pretekst twojej wizyty. Mój kuzyn, profesor Hal Stone z Corpus Christi College w Cambridge, niezwykłym zbiegiem okoliczności właśnie przebywa w Hazarze, kierując eksploracją wraku frachtowca zatopionego podczas drugiej wojny światowej. Jak to zwykle u naukowców, ma niewielkie fundusze, więc stać go tylko na skromne badania z udziałem miejscowych nurków.

– Brzmi podniecająco.

– Bo jest. A najciekawsze jest to, że odkrył resztki fenickiego statku handlowego, na wpół ukryte pod wrakiem frachtowca. Jesteś świetnym nurkiem, Dillon. Hal powita cię z otwartymi ramionami, szczególnie że nic nie będzie musiał ci płacić. W ten sposób będziesz mógł pilnować lady Kate, Bella i jego kompanów. Załatwię ci przelot, a kiedy już tam dotrzesz, ja też przylecę. Zgadzasz się?

– Możemy spróbować. Jeszcze jedna sprawa. Znam tych arabskich nurków. Oni schodzą pod wodę, trzymając w rękach kamienie. Potrzebuję jeszcze jednego doświadczonego nurka.

Ferguson westchnął.

– Czy masz na myśli tego, o którym ja myślę?

– Billy Salter jest doświadczonym nurkiem.

– I sądzisz, że poleci?

– Czy sądzę, że poleci? – Dillon parsknął śmiechem.

W pubie „Dark Man" zastali siedzących w kącie Harry'ego i Billy'ego Salterów, Joego Baxtera oraz Sama Halla.

– Jezu, brygadierze, co pana tu sprowadza? – zapytał Harry Salter.

– Przede wszystkim już nie „brygadierze", Harry. Zrobili go generałem – wyjaśnił Dillon.

– A niech mnie! – Salter senior skinął na stojącą za barem Dorę. – Przynieś nam szampana, dziewczyno. To szczególna okazja.

– Co się stało, Dillon? Jak cię znam, nie przyszedłeś tu na pogaduszki – odezwał się Billy.

– Lecę do Hazaru nad Zatoką Perską. Kuzyn generała próbuje tam wydobyć wrak z drugiej wojny światowej, pod którym leży fenicki statek.

– Co takiego?! – Billy zbladł z wrażenia.

– Rzecz w tym, że facet nie ma forsy. Stać go tylko na arabskich nurków, więc zamierzam pracować za wikt i łóżko.

– Jeśli tylko mnie zechce, jestem gotowy. Kiedy lecimy?

– Jutro rano.

Billy wstał, lecz Ferguson go powstrzymał i zwrócił się do Dillona:

– Rany boskie, powiedz mu prawdę. Ostatnim razem zabił dla nas czterech ludzi. Jesteśmy mu coś winni.

Billy powoli odwrócił się.

– Będą kłopoty?

– Paskudne, Billy. Tym razem to niebezpieczna gra.

– Cholera, więc lepiej wszystko mi wyjaśnij. – Billy usiadł. Wysłuchał Dillona i rzekł: – Co za banda łobuzów. Chcę powiedzieć, że jeśli się jest Anglikiem, to do czegoś zobowiązuje. Nie mam nic przeciwko temu, że Raszid jest na pół Arabem, ale powinien zachowywać się jak należy. Nie wiem czemu, Dillon, ale od kiedy cię poznałem, wciąż próbuję zbawiać świat. O której odlatujemy?

– O dziesiątej z Northolt.

– Kto nas przewozi? Jak zwykle Lacey i Parry?

– A komu innemu zaufałbyś, że zrzuci cię z dwustu metrów?

Billy uśmiechnął się.

– Cholerna racja. Zeszłym razem dostali po Lotniczym Krzyżu Zasługi, prawda?

– Zgadza się.

– Jest nadzieja, że ja też dostanę?

– Może za milion lat, Billy.

– Tobie też nie dadzą?

– Gdyby mogli, daliby mi dwadzieścia lat odsiadki.

Harry Salter wstał.

– No dobra, lepiej chodźmy się spakować.

– My? – zdziwił się Ferguson.

– Do diabła, nie umiem nurkować, ale mogę trzymać spluwę i siedzieć w łodzi – odparł Salter. – Czego się nie robi dla rodziny.

W domu w Mayfair Paul wydawał Kate ostatnie polecenia.

– Weź George'a. Może być łącznikiem między tobą i plemionami. Zna dialekt, a oni szanują go, ponieważ jest moim bratem. Ciebie również szanują, gdyż jesteś moją siostrą, ale to Arabowie. Nadal czują się nieswojo w obecności silnych kobiet.

– To niech się przyzwyczają.

Uścisnął ją.

– Najważniejszy jest Bell. Jest dobry, ale musi cię słuchać. Jeśli będzie sprawiał jakieś kłopoty, zetrę z powierzchni ziemi jego i trzech jego kumpli. To mój kraj.

– Wiem, bracie, wiem. Nie zawiodę cię. Przekonasz się, że cię zadziwię.

Dillon znów odwiedził Hannah Bernstein. Była nieco przytomniejsza i próbowała mówić.

– Co chcesz zrobić, Sean? – wymamrotała.

– Raczej chodzi o to, co chce zrobić Raszid. Zwerbował Bella z pomocnikami i wysyła ich do Hazaru. Jeszcze nie wiemy po co.

– Ty też tam jedziesz?

– Tak.
– Opowiedz mi o tym.
Po wysłuchaniu Dillona Hannah powiedziała:
– A więc ty, Billy i dobry stary Harry znowu wyruszacie na wojenkę?
– Na to wygląda.
– Nigdy się nie zmienisz, co, Sean?
– Taki już jestem, Hannah. Brak mi porządnej kobiety, to mój problem.
– Och, zrób to i nie szukaj wymówek.
– Ja też cię kocham. – Pocałował ją w czoło. – Niech cię Bóg błogosławi, Hannah.
Dopiero wtedy obdarzyła go szerokim uśmiechem.
– I ciebie, Sean.
Dziwne, ale tak było: Sean Dillon, zaprawiony w bojach cynik, miał łzy w oczach, wychodząc ze szpitalnego pokoju.
Kiedy wrócił do domu, zadzwonił do Blake'a Johnsona i pokrótce przedstawił mu, co się ostatnio wydarzyło.
– Jezu, Sean! – powiedział Blake. – Hazar to terytorium Raszida, a ty z Billym i Harrym zamierzacie bawić się w płetwonurków pomagających kuzynowi Fergusona? Daj spokój, wystarczy, że wejdziesz do pierwszego lepszego portowego baru, a ktoś spróbuje pchnąć cię nożem.
– Racja. To dopiero będzie życie, Blake. Powinieneś tam przylecieć i przyłączyć się do nas.
– Szczerze mówiąc, mój dobry irlandzki przyjacielu, mam na to wielką ochotę. Co szykują Raszidowie, Sean? Po co ściągnęli do Hazaru oddział zabójców IRA?
– Cóż, tego właśnie zamierzam się dowiedzieć.
– A więc uważaj na siebie.
Dillon roześmiał się.
– Możesz na to liczyć, Blake. Kto by pomyślał – zabójca z IRA i dwóch największych londyńskich gangsterów na środku pustyni. Dlaczego zawsze wypada na nas?

– Sean, nie mam zamiaru prawić ci kazań, ale zaczynam podejrzewać, że ty i Billy będziecie się tam bawić trochę za dobrze... Wiesz, że ja też nurkuję. Naprawdę myślisz, że prezydent...?
– Jest tylko jeden sposób, żeby się dowiedzieć.

Następnego ranka na lotnisku Northolt zastali Laceya i Parry'ego, czekających – co za niespodzianka – razem z Fergusonem.
– Pomyślałem, że przyjdę was pożegnać. Lacey kazał usunąć oznakowanie, ponieważ nie chcemy reklamować RAF-u. Jak się nazywamy, Lacey?
– Czarter ONZ, generale.
– No tak, tego nikt nie zakwestionuje.
Pojawił się kwatermistrz, wysoki i groźnie wyglądający, emerytowany starszy sierżant gwardii.
– Jest jeszcze kwestia broni, panie Dillon. Możemy porozmawiać?
– Oczywiście.
Kwatermistrz zaprowadził go do zbrojowni. Na szerokim stole leżały karabinki AK-47, browningi, tłumiki Carswella oraz trzy małe automatyczne pistolety.
– Model Parker-Hale, panie Dillon.
– Doskonale, sierżancie.
– Sprzęt do nurkowania już kazałem załadować na pokład. Będziecie potrzebowali butli ze sprężonym powietrzem. Na waszym miejscu bardzo bym na nie uważał. Nigdy nie wiadomo, co te cholerne Araby mogą spróbować do nich napuścić.
– Będę o tym pamiętał – obiecał Dillon.
– To dobrze, bo chciałbym jeszcze pana zobaczyć, panie Dillon.
– Postaram się nie zawieść pańskich oczekiwań.

– Dopilnuję załadunku.

Kiedy ładowano sprzęt, przeszli do mesy na herbatę. Ferguson powiedział:

– Nasze wpływy w Hazarze są obecnie niewielkie. Teraz wszystkie te małe kraje cenią sobie niezależność. Nie mają regularnej armii, tylko Hazarskich Zwiadowców – mały regiment złożony z Beduinów i tradycyjnie dowodzony przez brytyjskich oficerów. Obecnie dowódcą jest Villiers. Zna go pan.

– Mam z nim nawiązać kontakt? – spytał Dillon.

– Może się przydać. Umie słuchać i wie, co w trawie piszczy. O ile mi wiadomo, jego Zwiadowcy patrolują pustynię. Mają tam kłopoty z bandami Adoo, nadciągającymi z Jemenu. Zabawa w stylu Lawrence'a z Arabii. Jak za dawnych czasów – ten ma rację, kto strzeli pierwszy. Tak jak w Irlandii Północnej.

– Ten stary drań ci dogryza, Dillon – powiedział Billy.

– Tak, wiem o tym, Billy, ale nic nie szkodzi. – Dillon uśmiechnął się przyjaźnie. – Co mam zrobić, powiedzieć mu, żeby się wypchał?

– Och, w ten czy w inny sposób mówisz mi to od lat, Dillon. – Ferguson wstał. – Nie mam pojęcia, co się tam dzieje, ale na pewno nic dobrego. Uważaj.

– Zawsze uważam. – Dillon uścisnął mu dłoń. – Nie martw się, Charles, jest nas trzech. Ja, Billy i Harry to niepokonany zespół.

Kilka minut później gulfstream z rykiem pomknął po pasie startowym Northolt. Ferguson odprowadził go wzrokiem, a potem odwrócił się, wsiadł do daimlera i odjechał. Teraz wszystko zależało od Dillona – ale przecież nie po raz pierwszy.

HAZAR

8

Lotnisko w Hazarze znajdowało się dziewięć kilometrów za miastem. Był to pojedynczy pas startowy, niegdyś pełniący rolę bazy lotniczej RAF-u, tak więc nadawał się dla wszelkiego typu samolotów, nawet herculesów. Kiedy gulfstream wylądował i pasażerowie wysiedli, podjechały do nich dwa land-rovery. Z pierwszego wysiadł sześćdziesięcioletni mężczyzna, mocno opalony i siwobrody, w zniszczonym hełmie tropikalnym oraz koszuli i szortach khaki.

– Hal Stone. – Wyciągnął rękę. – Słyszałem, że jest pan świetnym nurkiem, panie Dillon.

– Skąd mnie pan zna?

– Cuda współczesnej nauki. Komputery, Internet, przesyłanie ślicznych kolorowych zdjęć. – Zwrócił się do pozostałych. – Billy i Harry Salterowie. Co za zespół! Nawet bracia Kray byliby pod wrażeniem.

Zawołał coś po arabsku i z drugiego land-rovera wysiedli dwaj mężczyźni.

– Załadujcie bagaże. Zabierzcie je na „Sultana".

Lacey i Parry podeszli do rozmawiających i Dillon ich przedstawił.

– Zostajecie? – zapytał Stone.

– Nie tym razem, sir – odparł Lacey.

– To dobrze, więc nie potrzebujecie moich wątpliwych informacji o Hazarze. Najważniejsze z nich, to czego się wystrzegać. – A do pozostałych rzekł: – Chodźcie. Chętnie wypiję zimne piwo, zanim pokażę wam „Sultana".

W land-roverze Dillon zapalił papierosa.

– Naprawdę wykłada pan w Cambridge?

– Jestem wykładowcą Corpus Christi College oraz profesorem archeologii morskiej w Hoxley. Powinien pan wiedzieć o mnie jeszcze coś: kiedy byłem znacznie młodszy i o wiele głupszy, pracowałem dla tajnych służb. Kuzyn Charles wprowadził mnie w sprawę, więc wiem, co robi pan tu ze swymi przyjaciółmi, ale – szczerze mówiąc – nic mnie to nie obchodzi, jeśli tylko będziecie dla mnie nurkować.

– To brzmi nieźle – powiedział Billy.

– Billy jest wytrawnym nurkiem – wyjaśnił Dillon. – Jest dobry.

– A pan?

– Ja jestem skromny, a poza tym mam inne priorytety.

– Takie jak Raszid? – uśmiechnął się Stone. – Kate Raszid przybyła wczoraj z czterema Irlandczykami, chyba z północy. Powinieneś czuć się jak w domu, Dillon.

– Gdzie się zatrzymali?

– W hotelu „Excelsior", na wybrzeżu. Wygląda jak ze starych filmów Warner Brothers. Brakuje tylko Humphreya Bogarta. Powiedziałem, że mam ochotę na zimne piwo i tam je dostaniemy.

Dillon zapalił następnego papierosa.

– Niech mnie pan poczęstuje – poprosił profesor.

– Jasne.

Profesor zaciągnął się z niekłamaną przyjemnością.

– Powiem panu coś. To, co tu robicie, to wasza sprawa,

ale pamiętajcie o tym, że w tym kraju ucięliby wam jaja za paczkę marlboro.

– A to świnie – rzekł Harry Salter. – Nie możemy na to pozwolić, no nie?

Część apartamentów hotelu „Excelsior" mieściła się w bungalowach. Kate ulokowała Bella i jego trzech przyjaciół w trzypokojowym bungalowie otaczającym małe patio. Sama zatrzymała się w willi Raszidów, w której mieściło się również biuro firmy, wyposażone w komputer i środki łączności.

Młody Arab wszedł do jej gabinetu i położył przed nią kilka kartek.

– Przed chwilą wylądował samolot ONZ. Oto komputerowe dane pasażerów, którzy z niego wysiedli.

Kate spojrzała i uśmiechnęła się.

– No, no.

– Odebrał ich profesor Stone.

– Podstaw mi dżipa. Przejadę się do portu.

Hazarski port był niezbyt duży. Przechodnie i pojazdy poruszały się wąskimi uliczkami, na zboczu wzgórza przycupnęły białe domki. Hotel „Excelsior", zgodnie z zapowiedzią Stone'a, był bardzo staromodny. Pod sufitem kręciły się elektryczne wentylatory, olbrzymi bar miał marmurowy blat, a wysokie okna pomieszczenia, w którym się znajdował, wychodziły na niewielki port. Widać było kilka małych przybrzeżnych frachtowców, a także sporo charakterystycznych łodzi z jednym żaglem, używanych przez Arabów do przybrzeżnych rejsów. Stone wskazał jedną z nich, zakotwiczoną ponad kilometr dalej.

– To „Sultan", stara, ale wyjątkowo duża łajba. Okręt,

którego szukamy, to amerykański statek przewożący amunicję, zatopiony przez U-boota podczas rejsu do Japonii. Leży na głębokości około dwudziestu siedmiu metrów.

Siedzieli na hotelowym tarasie, pod łopoczącą markizą.

– A ten fenicki statek? – zapytał Billy.

– Och, paru chłopców wyłowiło kawałki ceramiki i różne inne drobiazgi. On naprawdę tam jest. A raczej to, co z niego zostało. Przeprowadziłem analizę radioizotopową. Zatonął kilka wieków przed naszą erą, jednak nie ma co do tego całkowitej pewności.

– Nie mogę się już doczekać, kiedy go zobaczę.

– Billy to entuzjasta – wyjaśnił Dillon.

Za jego plecami Bell, Brosnan, O'Hara i Costello weszli do baru i rozsiedli się przy kontuarze. W tej samej chwili, gdy Dillon zobaczył ich w lustrze, Bell też go zauważył. Był kompletnie zaskoczony. Dillon wstał.

– Chodź ze mną, Billy. – Podszedł do tamtych. – O, Aidan! Daleko zawędrowałeś od Drumcree i chłodnego irlandzkiego deszczyku.

– Jezu – mruknął Bell. – Co ty tu robisz?

– Jestem twoim najgorszym koszmarem.

Costello, który właśnie kosztował piwo, nagle zamachnął się, lecz Billy mocno kopnął go w prawą kostkę, wykręcił mu rękę i zabrał kufel.

– To był głupi pomysł. Spróbuj jeszcze raz, a wepchnę ci go do gardła.

Rozległ się cichy głos.

– Nie trzeba.

Dillon odwrócił się i ujrzał stojącą w progu Kate Raszid.

– O, Kate! – powiedział. – Czyż to nie cudowne zrządzenie losu? Wszędzie cię spotykam.

Wrócili na taras, podczas gdy Stone i Salterowie niechętnie utrzymywali zawieszenie broni z Bellem i jego kompanią.

– Niesamowite, prawda? – rzekł Dillon. – Znasz Stone'a?
– Daj spokój. Co ty tu robisz?
– Nurkuję dla niego. Jeśli wiesz coś o Hazarze, to musiałaś słyszeć o „Sultanie".
– Och, wiem o nim wszystko, tak samo jak wiem wszystko o tobie i twoich przyjaciołach, Salterach. Przebywasz w interesującym towarzystwie, Dillon.
– To szczera prawda, Kate. Harry Salter działa teraz legalnie – przeważnie – ale nadal jest jednym z najbardziej wpływowych gangsterów w Londynie. Billy zabił już czterech ludzi. Nie są święci.
– Tak, a ty nie przyleciałeś tu nurkować dla Hala Stone'a.
– Ależ tak, będę dla niego nurkował i Billy również.
– I nic poza tym?
– Kate, kochanie, a co jeszcze miałbym tu robić?
– Śledzisz mnie, Dillon.
– Wystrzegaj się słońca, Kate. Udar może prowadzić do paranoi. – Skończył piwo i wstał. – Z głębokim żalem muszę cię opuścić. Nie mogę się doczekać, kiedy zobaczę wrak.
Wróciła do baru. Bell zapytał:
– Co szykuje ten mały gnój?
– Tutaj nic nie może zrobić – powiedziała. – Zupełnie nic. Jesteśmy w Hazarze. Radzie Starszych wydaje się, że tu rządzą, ale już niedługo. Wkrótce wszystko to będzie należało do Raszidów. A teraz chodźmy do twojego bungalowu, żeby przejrzeć plany.
W salonie apartamentu Bella na biurku leżał stos papierów, w tym dokładna mapa Ordnance Survey.
– To jedyna porządna droga, jaka tam prowadzi – zauważył Bell.
– Do Świętych Studni. – Skinęła głową. – W następny wtorek zbierze się tam cała Rada Starszych.

– Nadal nie powiedziała pani, jak to ma być zrobione. Zasadzka czy ładunek semteksu? Możemy zrobić jedno i drugie.

– Uważam, że bomba będzie skuteczniejsza. Załatwię ludzi, którzy was zawiozą na miejsce, żebyście mogli je obejrzeć.

– Wspaniale. A co z Dillonem?

– Och, zajmę się tym. Wie pan, co mówią? Podobno nurkowanie to ryzykowne zajęcie.

Nadlatujący znad morza wiatr był ciepły i miał dziwnie korzenny zapach, gdy wypływali z portu starą motorówką, prowadzoną przez dwóch Arabów.

– Chryste, Dillon, ty zawsze zawleczesz nas w jakieś niesamowite miejsce – powiedział Harry Salter.

– Daj spokój, Harry, przecież to uwielbiasz. Tutaj jesteś w niebezpieczeństwie. Tu musisz mieć spluwę w kieszeni. Jak powiedział profesor, masz przeciwko sobie ludzi, którzy obcięliby ci jaja za paczkę fajek.

– Chciałbym, żeby spróbowali – odparł Salter. – Przydałoby mi się trochę ruchu. Ten „Sultan" wygląda jak wzięty ze starego filmu o przygodach Sindbada.

Stone roześmiał się.

– Masz rację, Harry, jeśli mogę mówić ci po imieniu. Jego największą zaletą są rozmiary. Ma dużo kabin.

Dillon głęboko wciągnął w płuca morskie powietrze. Z wody wyskoczyła szkółka latających ryb.

– Jezu, Dillon – mruknął Billy. – Ale fajnie. Chcę powiedzieć, że bardzo mi się tu podoba.

Podpłynęli do „Sultana". Ktoś rzucił im linę, a oni przywiązali motorówkę i jeden po drugim weszli po drabince.

– Chłopcy zajmą się wszystkim – powiedział Hal Stone. – Pokażę wam kajuty.

Okazało się, że dla Billy'ego i jego wuja przygotowano jedną kabinę, a Dillon otrzymał dla siebie kabinę na rufie. Rozpakował się, a potem sprawdził zawartość worka z uzbrojeniem. Położył na stole AK-47, pistolety Parker-Hale, browningi z tłumikami oraz swojego ulubionego waltera. Ktoś kopnął w drzwi, które otworzyły się z hukiem. Do środka weszli Salterowie.

– Znowu ruszamy na wojnę? – spytał Billy.

– No cóż, znajdujemy się w strefie działań wojennych. – Dillon podsunął im dwa browningi. – Załadowane, plus zapasowe magazynki. Powinniście mieć coś w kieszeni, szczególnie kiedy Bell i jego kumple krążą w pobliżu.

– Aa, pieprzyć ich. – Harry Salter zważył w dłoni browninga. – Taak, ten będzie dobry. – Włożył do kieszeni pistolet i zapasowy magazynek. – Naładowany na grubego Bella.

Billy poszedł za jego przykładem.

– W porządku, więc mamy też ciężką artylerię.

– Tylko w razie potrzeby.

– W tej chwili nie marzę o niczym innym, jak tylko o tym, by zobaczyć wrak.

– No cóż, chodźmy na pokład i bierzmy się do roboty.

Kiedy Dillon i Billy szykowali się do zejścia pod wodę, na pokładzie znajdowało się trzech arabskich nurków. Stone stał obok Harry'ego, który kręcił głową.

– Sam nie wiem – mruknął. – Chcę powiedzieć, że to nie jest normalne, to całe nurkowanie.

– Masz rację. – Dillon wciągał kombinezon płetwonurka. – Powietrze, którym oddychamy, to mieszanka tlenu z azotem. Im głębiej schodzimy, tym więcej absorbujemy azotu i na tym polega problem.

Przymocował zbiornik powietrza do nadmuchiwanego worka i sprawdził zawór powietrzny swojej maski. Umocował uprząż z butlą, wziął siatkę oraz lampę, a potem splunął na szkło maski i ją założył. Billy zrobił to samo. Dillon dał mu znak uniesionym kciukiem, po czym tyłem wskoczył do wody, a Billy zaraz za nim.

Daleko w dole była wielka rafa, porośnięta koralowcami, gąbkami, niczym błękitny sejf pełen klejnotów. Obok przepłynęło stado barakud, dalej kręciły się anielice, papugoryby, ostroboki, skalary. Był to wspaniały widok. Dillon zgiął się wpół i zaczął schodzić w dół, sprawdzając, czy zegar prawidłowo wskazuje głębokość, czas spędzony pod wodą i pozostały do bezpiecznego wynurzenia.

W dole zobaczyli frachtowiec, nadal w całkiem znośnym stanie. Dillon obrócił się, dał znak Billy'emu i zszedł niżej.

Popłynął pierwszy przez wybitą przez torpedę dziurę w prawej burcie, przedostał się przez labirynt korytarzy, wypłynął przez drugi otwór na rufie i zatrzymał się. Pokazał Billy'emu opuszczony kciuk i zszedł jeszcze niżej.

Unosząc się nad szczątkami pokrywającymi morskie dno pod rufą statku, zaczął grzebać w nich rękami w rękawicach. Wkrótce dopisało mu szczęście. Wyciągnął niewielki posążek przedstawiający wielkooką kobietę z wydętym brzuchem.

Billy podpłynął i z podziwem spojrzał na figurkę, po czym sam zszedł niżej i zaczął szukać. Dillon obserwował go i spostrzegł, że po chwili Billy znalazł jakiś talerz. Dillon kiwnął głową i ruszyli w górę.

Wróciwszy na łódź, oddali znaleziska Halowi Stone'owi i zdjęli stroje do nurkowania. Profesor nie posiadał się z radości.

– Do licha, Dillon, ta figurka to niezwykłe odkrycie. British Museum oszaleje ze szczęścia.

– A mój talerz? – zapytał Billy.

– To świątynny półmisek wotywny, w dodatku bardzo ładny.

Billy powiedział do wuja:

– Sam widzisz. Wyłowiliśmy rzeczy, za jakie kustosz British Museum dałby sobie uciąć rękę.

– A to dopiero początek, Billy – powiedział Dillon, po czym zapalił papierosa i rzekł do Stone'a: – Mamy gości.

Pułkownik Tony Villiers był wysokim, posępnym grenadierem pod pięćdziesiątkę. Znaczną część służby wojskowej odbył w SAS. Był na Falklandach i w Zatoce Perskiej, a także wielokrotnie przebywał w Irlandii Północnej. Siedmiokrotnie odznaczony, wiele w życiu widział i przeżył, a służba w Bośni i Kosowie jeszcze wzbogaciła te doświadczenia. Teraz, ubrany w mundur khaki i turban, siedział z towarzyszącym mu młodym oficerem w małej motorówce, podpływającej do „Sultana".

Wszedł po drabince, a Hal Stone powitał go słowami:

– Już się spotkaliśmy. Jestem kuzynem Charlesa Fergusona.

– To wystarczająca rekomendacja – odparł Villiers. – A to jest kornet Richard Bronsby z Królewskiej Gwardii Konnej.

– A więc wszystko po staremu – rzekł Hal Stone. – Jak za dawnych kolonialnych czasów. Nawiasem mówiąc, to jest Sean Dillon oraz Billy i Harry Salterowie.

– Wiem – odparł Villiers. – Charles Ferguson mnie uprzedził.

Kilka minut później, siedząc pod daszkiem na rufie „Sultana", Dillon zapytał:

– Co powiedział panu dobry stary Charles?

– Dostatecznie dużo, by dać do zrozumienia, że nie

ma pojęcia, co zamierzają Raszidowie, i dlatego przysyła tu pana i pańskich przyjaciół, panie Dillon.

– Zdaje się, że w przeszłości ocieraliśmy się o siebie, lecz nigdy nie spotkaliśmy się, dzięki Bogu.

– Na całe szczęście, chociaż straciłem sporo czasu, uganiając się za panem po całym South Armagh.

– No cóż – mruknął Dillon. – Zdaje się, że teraz wszyscy jesteśmy po tej samej stronie ulicy. A kornet Bronsby?

– Dopiero się uczy.

– Dobrze, a więc napijmy się czegoś i pomyślmy, o co może chodzić Raszidom.

Wyjęli piwo z chłodziarki.

– Paul Raszid to mój stary znajomy – powiedział Villiers. – Służyliśmy razem w Zatoce, otrzymał medal. To pierwszorzędny żołnierz.

– I rządzi tym krajem – zauważył Dillon.

– Właśnie. Zanim pan o to zapyta, nie ma żadnych wątpliwości, że to on ponosi odpowiedzialność za śmierć sułtana.

– A o co, pańskim zdaniem, może im chodzić? Po co sprowadzili do takiego kraju jak Hazar znanego terrorystę IRA i jego oddział?

– Wydaje mi się, że po to, żeby zabić kogoś takiego jak pan.

– Tylko kogo?

– Poczekamy, zobaczymy. Niestety, nie mogę tu zostać. Na granicy mamy kłopoty z jemeńskimi marksistami, więc musimy wracać tam z Bronsbym i trochę ich uspokoić.

– Niech pan pozostanie z nami w kontakcie – rzekł Dillon.

– Może pan na to liczyć. Jeszcze jedno.

– Co takiego?

– Chodzi o najmłodszego brata Raszida, George'a, tego, który był podporucznikiem w pierwszym spadochronowym w Irlandii. Moi szpiedzy donoszą, że jest teraz na pustyni Ar-Rub al-Chali, wśród Raszidów z Oazy Szabwa. George nie tylko płynnie mówi po arabsku, ale także dialektem tego plemienia.

– Zdolny facet – rzekł Dillon. – Ja również nieźle mówię po arabsku. A po irlandzku doskonale.

Villiers roześmiał się i odparł po irlandzku:

– Miałem babkę w Cork, która zmuszała mnie do nauki tego języka, kiedy przyjeżdżałem do niej na wakacje. Porządny z ciebie gość, Dillon. Trzymaj się. Tu masz numer mojego telefonu komórkowego, gdybyś mnie potrzebował.

Dillon rzekł do korneta Bronsby'ego:

– Słuchaj tego faceta, synu, to jeden z najlepszych. Mamy tu paskudne towarzystwo, więc jeśli chcesz przeżyć...

Wzruszył ramionami. Kornet Richard Bronsby uśmiechnął się, przy czym wyglądał jak piętnastolatek.

– Powiedziałbym, że jestem tu w dobrym towarzystwie, panie Dillon.

Wyciągnął rękę.

– No cóż, jak mówimy w Irlandii, uważaj na siebie – przestrzegł Dillon, ściskając wyciągniętą dłoń.

Pod wieczór Dillon i Billy postanowili ponownie zejść pod wodę. Nadal było jasno, a wiatr był łagodny i ciepły. Kate Raszid, w towarzystwie Kelly'ego, stała na pokładzie rufowym zacumowanej w porcie łodzi i obserwowała ich przez lornetkę.

– Dillon i Billy Salter znów schodzą pod wodę.

– Co mam robić?

– Zabić ich – powiedziała. – Weź Saida i Achmeda. I nie chcę żadnych błędów, Kelly. Stawka jest zbyt wysoka.
– Jak pani każe, lady Kate.

Dillon włożył uprząż z butlą, Billy zrobił to samo. Harry i Hal sprawdzili ich sprzęt.
– Chryste, jest wspaniale – rzekł Billy.
– Masz nóż?
– Oczywiście, że mam.
– Weź jeszcze kuszę.
– Po co, Dillon?
– W tych wodach zdarzają się rekiny.
– Naprawdę? – roześmiał się Billy. – O rany, człowiek codziennie uczy się czegoś nowego.
– Uważaj na siebie, do cholery – warknął Harry Salter.
Billy zaśmiał się, założył maskę i zszedł pod wodę. Dillon uśmiechnął się do Hala Stone'a.
– Czy to Swetoniusz powiedział: „Idący na śmierć pozdrawiają cię"?
– Mogę ci powiedzieć, jak to brzmi po łacinie – zaproponował Stone.
– Och, liczy się idea – odparł Dillon i zanurkował w ślad za Billym.
Znów zanurzyli się w błękitną otchłań, mając dziwne uczucie, że zawiśli w przestrzeni. W dole majaczył wrak frachtowca. Dillon i Billy popłynęli obok siebie, z kuszami w rękach. Ponownie ujrzeli stado barakud oraz trzy lub cztery płaszczki. Dillon był w doskonałym nastroju i cieszył się każdą chwilą. Przepłynęli przez pierwszą dziurę po torpedzie, potem przez labirynt korytarzy, aż wynurzyli się z otworu wybitego na rufie... A tam czekał na nich Kelly wraz z Saidem i Achmedem, wszyscy trzej uzbrojeni w kusze.

Dillon położył dłoń na plecach Billy'ego i odepchnął go w chwili, gdy Achmed wystrzelił. Strzała o włos chybiła Billy'ego. Dillon zgiął się, wykonał półobrót i strzelił w górę, trafiając Achmeda w pierś. Kelly wypuścił strzałę, która zawadziła o lewe ramię Irlandczyka, nie raniąc go, a jedynie rozrywając kombinezon płetwonurka. Kelly zbliżał się z nożem w ręku. Dillon chwycił go za przegub. Kiedy walczyli ze sobą, Said strzelił do Billy'ego, który uchylił się i wypuścił swoją strzałę. Trafił Araba w gardło.

Dillon i Kelly walczyli zawzięcie, aż nagle Irlandczyk obrócił przeciwnika i przeciął nożem przewód powietrzny. W chmurze pęcherzyków powietrza Kelly rozpaczliwie machał rękami i nogami, a potem znieruchomiał. Achmed usiłował wyrwać strzałę z piersi, gdy Billy podpłynął do niego i przeciął mu przewód powietrza. Potem razem z Dillonem patrzyli, jak trzy ciała powoli opadają na dno.

Irlandczyk wskazał kciukiem w górę i zaczęli się wynurzać. Wyczerpani, wyciągnęli się na pokładzie.

– Rany boskie – powiedział Hal Stone. – Co się tam działo? Wybuchła trzecia wojna światowa? Patrzyłem z rufy i widziałem jakąś kotłowaninę.

– Zostaliśmy zaatakowani – odparł Dillon. – Facet nazwiskiem Kelly, były człowiek SAS. Szef ochrony Raszidów. Dwaj pozostali wyglądali na Arabów.

– Jezu – rzekł Harry Salter. – Niezły ptaszek z tej lady Kate Raszid.

– Och, myślę, że można tak powiedzieć, Harry. Widocznie jej przeszkadzamy – i to bardzo.

– Co oznacza – rzekł Hal Stone – że cokolwiek zamierzają zrobić, możemy im pokrzyżować szyki.

– Tak, jestem skłonny się z tobą zgodzić. – Dillon wstał. – Weźmy prysznic, Billy, przebierzmy się w czyste ubrania i zamówmy kolację w hotelu „Excelsior". Kto wie, kogo tam spotkamy?

Hal Stone został na pokładzie łodzi, a Dillon i Salterowie udali się do hotelu „Excelsior". W barze nie było tłoku, a restauracja ziała pustkami. Arabscy kelnerzy czekali na gości. Na stołach zasłanych białymi lnianymi obrusami stała srebrna zastawa i kryształowe kieliszki – jak za dawnych czasów.

Usiedli w głębokich fotelach w barze. Dillon zamówił butelkę veuve clicquot, a potem wystukał numer telefonu komórkowego Villiersa.

– Jeszcze tam jesteś, Dillon? – odezwał się Villiers.

– Ledwie. – Dillon zrelacjonował mu ostatnie wydarzenia.

– To tylko podkreśla wagę tego, co wam powiedziałem. Cokolwiek szykują, musi to być cholernie ważne. Informujcie mnie na bieżąco.

Siedzieli, leniwie gawędząc, gdy do baru weszła Kate Raszid z Bellem. Dillon wstał.

– Osłaniaj mnie, Billy. Costello jest na tarasie.

Podszedł do baru. Billy stanął na drugim końcu, spojrzał na Costella, a potem wyjął browninga i położył na blacie.

– Mówiono mi, że dają tu niezłe jedzenie – powiedział Dillon.

– Nie jest to „Caprice", ale ujdzie.

– Aidan pewnie wolałby irlandzki gulasz, ale nie można mieć wszystkiego. Mam nadzieję, że nie szukasz Kelly'ego? – Kate zesztywniała. – Popełnił błąd i napadł na mnie i Billy'ego przy wraku frachtowca. Paskudna historia. Noże, przecięte przewody powietrzne, zamieszanie. Kiedy ostatnio go widziałem, leżał na dnie, zupełnie sztywny, razem z dwoma arabskimi nurkami. Co za głupota, Kate.

– Dillon, ty gnoju – warknął Bell.

– Och, daj spokój, Aidan, chyba nie spodziewałeś się, że położę się tam i umrę?

Bell odparł z niechętnym uśmiechem:

– Nie, to nie w twoim stylu.

– Właśnie, więc jeśli nie macie nic przeciwko temu, Billy i ja nadal będziemy sobie nurkować.

Bell parsknął śmiechem i rzekł do Kate:

– Jeśli w to uwierzysz, to uwierzysz we wszystko.

9

Następnego dnia Bell i trzej jego przyjaciele wcisnęli się do cessny 310, którą polecieli na lądowisko w pobliżu Oazy Szabwa, gdzie czekał na nich George Raszid w stroju Beduina.

– Zabiorę was na drogę wiodącą do Świętych Studni – rzekł. – Chcę, żebyście zorientowali się w sytuacji.

Poprowadził ich do dużego dżipa i usiadł z przodu obok kierowcy, a Bell i jego ludzie zajęli miejsca na tylnych siedzeniach. Jechali w skwarze, wzbijając chmurę pyłu.

– Co za cholerny kraj – mruknął Costello.

– Oddziela mężczyzn od chłopców – rzekł George Raszid. – I musicie zrozumieć jedną bardzo ważną rzecz: o ten obszar, gdzie Hazar graniczy z pustynią Ar-Rub al-Chari, zawsze toczyły się spory, co oznacza, że to ziemia niczyja. Możecie tam zabić papieża i nikt wam nic nie zrobi.

– O, to miłe – powiedział Bell.

Zatrzymali się w głównym obozowisku Raszidów w Oazie Szabwa, aby zatankować paliwo i uzupełnić zapas wody, a także coś zjeść.

– Co to takiego? – zapytał Costello.

– Gulasz z kozy z ryżem – odparł George Raszid.

– Wybaczcie – rzekł Costello, odszedł na bok i zwymiotował za palmą.

Kiedy wrócił, George Raszid zapytał:

– Dobrze się pan czuje, panie Costello?

– Niezupełnie. Założę się, że kiedy był pan w South Armagh z pierwszym spadochronowym, na pewno jadał pan w wiejskich pubach, gdy tylko miał pan okazję.

– Oczywiście – uśmiechnął się George. – Irlandzkie ziemniaki, chleb, a w sezonie kapusta...

– Pieprz się pan – mruknął Costello. – Znów jest mi niedobrze.

– Chodźcie – powiedział Bell. – Obejrzyjmy sobie to miejsce, a potem wrócimy do Hazaru i kupimy ci kanapkę z jajkiem, Pat.

Droga biegła przez wąwóz, między skalistymi urwiskami, a dalej aż po horyzont ciągnęły się piaszczyste wzgórza pustyni. Wjechali dżipem po stromym zboczu i George wysiadł.

– Tam, na tym wzgórzu, jest dobrze osłonięte miejsce z widokiem na całą drogę. Doskonale nadaje się na zasadzkę. Święte Studnie znajdują się piętnaście kilometrów na wschód.

– Popatrzmy.

Bell poszedł pierwszy, a za nim George i pozostali. Ściany wąwozu wznosiły się na sto metrów. Wokół panowała cisza.

– Tam podłożymy ładunek, chłopcy – powiedział Bell. – Przez całą szerokość drogi. Ty to zrobisz, Costello. Wy dwaj ustawicie lekki karabin maszynowy na krawędzi wąwozu. Po eksplozji ostrzelacie kolumnę i zabijecie wszystkich, którzy pozostali przy życiu.

– Wydaje mi się, że to idealne miejsce – orzekł George.

– A zatem wracajmy do Hazaru i sprawdźmy sprzęt, jaki możecie nam zaproponować.

– Dostaniecie wszystko, czego będzie wam potrzeba – obiecał George i poprowadził ich z powrotem do dżipa.

Hal Stone zawołał Dillona, Harry'ego i Billy'ego na rufę „Sultana", pod brezentowy daszek.

– Wykorzystałem moje miejscowe kontakty. George Raszid, Bell oraz jego przyjaciele polecieli na pustynię. Wylądowali w pobliżu Oazy Szabwa, kilka godzin kręcili się po okolicy, a potem wrócili.

– Nie wiadomo dlaczego? – spytał Dillon.

– Obawiam się, że nie. Moi chłopcy słuchają plotek, ale niczego się nie dowiedzieli.

Dillon zastanowił się, a potem powiedział:

– A gdybyśmy polecieli do Szabwy, czy to by coś dało?

– Czy zdołalibyście się czegoś dowiedzieć? Nie mam pojęcia, a poza tym, kogo masz na myśli, mówiąc „my"?

– Cóż, zacznijmy od tego, że umiem pilotować wszystko, co lata. Niepotrzebny mi pilot, tylko samolot.

– Ciekawe... Ben Carver, właściciel Carver Air Transport, ma dwie cessny i golden eagle'a do miejscowych lotów.

– Świetnie, więc wynajmijmy samolot. Polecę z Harrym i Billym do Oazy Szabwa i trochę tam powęszymy.

– No dobrze, jeśli tego chcesz – rzekł Stone – załatwię ci samolot.

Kate ślęczała nad papierami w willi Raszidów, kiedy zadzwonił jej telefon komórkowy. Odezwał się George.

– Właśnie dowiedziałem się od naszych ludzi w Hazarze, że Dillon z Salterami mają polecieć do Szabwy jedną z cessn Carvera. Dillon pilotuje.

– Czasem myślę, że on szuka śmierci – powiedziała Kate.

– Co robimy?

– Zaczynam mieć go dość, bracie. Zestrzelcie ich.

– Z przyjemnością – odparł George Raszid.

Kilka godzin później cessna, z Billym, Harrym i Dillonem na pokładzie, leciała w kierunku Szabwy. Niebo było ciemnoniebieskie, a złociste piaszczyste wzgórza, mające czasem po sto metrów wysokości, ciągnęły się aż po horyzont. Dillon przymknął przepustnicę, ściągnął drążek sterowy, przeleciał nad jednym ze wzgórz i w dole zauważył trzy pojazdy, stojące blisko siebie. W następnej chwili otworzono do nich ogień.

Boczna szyba rozpadła się na kawałki i Harry krzyknął, gdy odłamek skaleczył go w policzek. Seria z karabinu maszynowego przeorała prawe skrzydło. Dillon zwiększył obroty, odbił w lewo i zanurkował. Pojazdy znikły za wzgórzem, lecz silniki gniewnie zakrztusiły się, a potem oba zgasły, jeden po drugim. Otoczyła ich cisza, przerywana tylko świstem wiatru.

Przed nimi wyrosła stutrzydziestometrowa wydma.

– Chryste, Dillon – mruknął Billy. – Jeszcze nigdy nie widziałem czegoś takiego.

– No, nie jest to plaża w Brighton, Billy. Trzymajcie się.

Dillon ściągnął drążek i samolot prawie otarł się o szczyt wydmy, po czym opadł na miękki piasek. Podskoczył kilka razy i znieruchomiał. Koła głęboko zaryły się w piach.

– Nic wam nie jest?

– Nic – mruknął Harry Salter. – Koniec z wakacjami

za granicą. Od tej pory nie wybiorę się nawet na jeden dzień do Calais.

Dillon otworzył drzwi i wyszedł na skrzydło. Billy i jego wuj poszli w ślady Irlandczyka.

– I co teraz? – zapytał Harry.

– Będą nas szukać – odparł Dillon. – Jeśli chcecie znać moje zdanie, to dobrze wiedzieli, że to my.

– Co zrobimy? – spytał Billy.

– Zobaczymy.

Dillon wyjął telefon komórkowy i zaczął przetrząsać kieszenie.

– Do licha! Nie mam przy sobie numeru telefonu Villiersa. – Zastanawiał się chwilę. – W porządku. – Zadzwonił do Londynu, do Fergusona. Generał zgłosił się od razu. – Charles, to ja. Mamy kłopoty.

Kiedy wyjaśnił mu sytuację, Ferguson rzekł:

– Nie przejmuj się, złapię Villiersa. Podam mu twój numer. On się tym zajmie. W razie potrzeby bywa równie nieprzyjemny jak ty.

– Miło mi to słyszeć. – Dillon rozłączył się i powiedział towarzyszom: – Czekamy.

Po dwudziestu minutach jego telefon zadzwonił i Villiers powiedział:

– Jesteście wszyscy cali, Dillon?

– Najzupełniej. Zarówno ja, jak i Salterowie. Czekali tu na nas.

– A czego się spodziewałeś? W takim miejscu jak Hazar wieści szybko się rozchodzą.

– Co mamy robić? Tamci wkrótce nas znajdą.

– Jestem sześćdziesiąt kilometrów na wschód od was. Zostawię Bronsby'ego z połową oddziału i przyjadę z resztą, ale proponuję, żebyście ruszyli się stamtąd. Ustalcie waszą pozycję i przekażcie mi namiary.

– Daj mi chwilkę.

Dillon poszedł do samolotu i sprawdził koordynaty. Villiers powiedział:

– Dobrze. Teraz wynoście się stamtąd. Niedaleko od was znajduje się stary fort, który zapewni wam lepszą osłonę niż samolot. Idźcie na północny wschód. Będziemy się spieszyć, Dillon, ale oni będą blisko, bardzo blisko. Zapisz mój numer telefonu i bądź w kontakcie. Powodzenia.

Dillon powtórzył Salterom to, co usłyszał od Villiersa.

– Weźcie wodę, żywność, po kałasznikowie z zapasem amunicji i wynosimy się stąd. – Uśmiechnął się do Harry'ego. – Nie będziesz już musiał chodzić do siłowni, Harry. Przez dwa dni wypocisz tu siedem kilo.

Dwie godziny później George Raszid i dziesięciu Beduinów, poruszających się land-roverami, znaleźli cessnę. Tropiciel obszedł samolot, obejrzał ślady, wrócił i wskazał na północny wschód.

– Tam poszli, effendi. Pieszo.

– A więc dogońmy ich – odparł George.

Salterowie i Dillon maszerowali obok siebie, zasłoniwszy głowy zawojami przed prażącym słońcem. Z trudem znajdowali drogę przez wydmy. Dillon nieźle prowadził, ale ciężko było im iść po miękkim piasku. W końcu zobaczyli przed sobą równinę, a na niej oazę oraz resztki fortu.

– Czy to miraż? – mruknął Billy, a Harry zawołał: – Za nami, Dillon!

Obejrzeli się i zobaczyli wyjeżdżające zza wydm land-rovery George'a Raszida.

– Biegiem! – krzyknął Dillon. – Ile sił w nogach. Jeśli dogonią nas na otwartej przestrzeni, będzie po nas.

Pomknął w dół zbocza.

Minęli studnię, linię drzew, a potem to, co zostało z bramy w rozsypującym się murze. Dillon pierwszy wbiegł po schodkach na blanki, z których zobaczyli nadjeżdżającego George'a Raszida i dziesięciu Beduinów.

Land-rovery stanęły. Siedząc na szczycie muru, Dillon patrzył na to przez otwór strzelniczy. Billy i Harry siedzieli po bokach, uzbrojeni w kałasznikowy.

– Co my tu robimy? – mruknął Harry. – To jak w tym filmie, który widziałem, gdy byłem mały. Z Rayem Millandem i Garym Cooperem... „Beau Geste", chyba taki miał tytuł.

– Ja też go widziałem – rzekł Billy. – Sierżant sadzał zabitych na murze, żeby wydawało się, że obrońców nie ubywa.

– Nas jest tu tylko trzech – przypomniał Dillon. – Lepiej przyłóżmy się do roboty, inaczej ci faceci naprawdę utną nam jaja.

Zajęli pozycje, Arabowie wysypali się z land-roverów.

– Do diabła, co ja tu robię, Dillon? – powiedział Harry Salter.

– Świetnie się bawisz, Harry. Zaufaj mi, a wrócisz do Wapping. – Starannie wycelował i strzelił. Jeden z Beduinów padł. – Widzisz. Mamy mnóstwo amunicji. Strzelaj do tych drani.

Arabowie wycofali się za land-rovery i zawzięcie ostrzeliwali mur. Dillon i Salterowie odpowiadali ogniem.

– Spokojnie, Billy – poradził Irlandczyk. – Ogień pojedynczy. Niech Harry wali seriami, ale my strzelajmy do pewnych celów. W tym nasza siła.

Idąc za jego radą, Billy oddał strzał i wychylający się zza land-rovera Beduin ciężko runął na bok.

– Właśnie tak, Billy, właśnie tak – pochwalił Dillon. – Zatrzymamy ich, aż nadjedzie Villiers.

Wziął do ręki lornetkę Zeissa. Beduini przebiegali od jednego samochodu do drugiego.

– Zauważyłem George'a Raszida – oznajmił Dillon.

– Teraz przynajmniej wiemy, na czym stoimy – mruknął Harry Salter i puścił długą serię.

George Raszid mówił do swoich ludzi:

– Jeden land-rover niech nas osłania ogniem. Ja oraz czterej z was podjedziemy drugim od tyłu. Tam nie ma muru. Weźmiemy ich w dwa ognie. Jazda!

Po chwili land-rover odjechał z rykiem. Dillon ponownie spojrzał przez lornetkę i zauważył nogi wystające spod drugiego wozu. Starannie wycelował i strzelił. Następny Beduin upadł na ziemię, wijąc się w konwulsjach. W tej samej chwili z tyłu wybuchła strzelanina. Dillon odwrócił się i zobaczył George'a Raszida oraz jego ludzi, przeskakujących przez resztki muru.

Dillon i Salterowie przycisnęli się do kamieni, gdy serie z broni automatycznej przeorały blanki. Dillon i Billy odpowiedzieli ogniem, trafiając następnego napastnika, lecz Beduini zza land-rovera przy frontowej bramie zaraz zasypali ich gradem kul, zmuszając do schowania się za blanki. Wszyscy trzej skulili się za kamieniami, a odłupywane pociskami odpryski kamieni padały im na głowy. Nagle serie z broni maszynowej posypały się z zupełnie innej strony. Dillon wyjrzał i zobaczył pięć land-roverów Tony'ego Villiersa, które wyjechały zza jednej z wielkich wydm. Samochody zatrzymały się i Hazarscy Zwiadowcy otworzyli ogień z ciężkiego karabinu maszynowego do land-rovera stojącego przy frontowej bramie. Kule trafiły w zbiornik paliwa i pojazd stanął w płomieniach, a czterej ukryci za nim Beduini próbowali ratować się ucieczką, lecz na otwartej przestrzeni szybko zostali skoszeni seriami z broni automatycznej.

Villiers i jego ludzie ruszyli w kierunku fortu. George

Raszid z trzema pozostałymi przy życiu Beduinami uciekł za resztki muru na tyłach fortu. Po chwili ich land-rover odjechał z maksymalną prędkością i znikł w wąwozie.

Nagle zapadła cisza. Dillon z Billym oparli się o mur i zapalili papierosy. Harry osunął się na kamienie.

– Rany boskie, Dillon, jestem już stary.

– Dobrze się spisałeś, Harry.

– Tak, byłbym wspaniałym statystą w jakimś starym czarno-białym filmie. Tylko że to zdarzyło się naprawdę. Jesteś potworem, Dillon.

Kolumna land-roverów z Hazarskimi Zwiadowcami wjechała przez bramę i zatrzymała się na dziedzińcu. Dillon i Salterowie zeszli po schodkach. Tony Villiers wysiadł z pierwszego pojazdu i podszedł do nich.

– Było gorąco.

Dillon uścisnął mu dłoń.

– Dowodził nimi George Raszid.

– Naprawdę? Zatem rzeczywiście nadepnąłeś im na odcisk. Szczęściarz z ciebie.

– To chyba nie wymaga komentarza.

Villiers zapalił papierosa.

– No dobrze, zabieram was do Oazy Szabwa. Zadzwonimy do Carvera, żeby znalazł samolot i przewiózł was z powrotem do Hazaru.

– Nie mam nic przeciwko temu.

– I nie zapomnij podziękować Charlesowi Fergusonowi. Gdyby nie on, panowie, wszyscy bylibyście martwi.

Dillon zasiadł z Halem Stone'em i Salterami w barze hotelu „Excelsior".

– To naprawdę jak w kiepskim filmie, Harry – rzekł Stone.

– Masz cholerną rację. Wakacje z Dillonem to nie

przechadzka po deptaku w Brighton, pałaszowanie frytek z rybą i popijanie szampana. W jego towarzystwie człowiek bez przerwy naraża życie.

– Och, daj spokój, Harry – skarcił go Dillon. – Nie bawiłeś się tak dobrze od lat, a w dodatku niczym nie musisz się przejmować, no nie? To Tony Villiers i jego chłopcy będą musieli posprzątać ten bałagan.

– Wszystko to pięknie – zauważył Hal Stone – ale nadal nie mamy pojęcia, o co chodzi Raszidom. Jedyne, co wiemy na pewno, to że chcą cię załatwić, tylko dlaczego? Czemu jesteś dla nich takim zagrożeniem?

– Sam chciałbym wiedzieć – odparł Dillon.

– Kiedy się nad tym zastanowić – powiedział Billy – to najważniejszy jest chyba fakt, że Bell i jego ludzie działają tu jako zespół. Do czego potrzebna jest im cała grupa?

– Przecież właśnie tego nie wiemy, no nie? – przypomniał mu wuj.

Zapadła chwila ciszy, którą przerwał Hal Stone.

– Oczywiście, zawsze możemy się dowiedzieć.

Wszyscy popatrzyli na Dillona, który zapytał:

– Co proponujecie?

– No cóż, jest ich czterech, włącznie z Bellem. Zakładam, że każdy z nich wie, o co chodzi.

– Chcecie powiedzieć, że powinniśmy oddzielić jednego z nich od grupy? – spytał Billy.

– Coś w tym stylu. Sam nie wiem. To wydaje się oczywiste.

– Czasem najprostsze działania są najskuteczniejsze – zauważył Dillon.

– Musimy się tylko dowiedzieć, kiedy można ich dopaść. Kiedy przyjeżdżają do miasta i po co.

– Pociupciać – mruknął Billy.

Wszyscy parsknęli śmiechem, a Stone rzekł:

– Prawdę mówiąc, masz rację. Nadstawiałem ucha. Jeden z nich, chyba Costello, najwyraźniej często odwiedza lokal madame Rosy.

– I co zrobimy, porwiemy go? – zapytał Harry Salter.

– Czemu nie? – odparł Stone.

– Fajnie, ale co zrobi Bell i jego goryle, kiedy jeden z nich zniknie?

– Nie wiem – wzruszył ramionami Stone. – Może pomyślą, że leży w łóżku z jakąś babą. Albo dwiema.

– No, profesorze – zadrwił Harry Salter. – Jestem wstrząśnięty. Taki uczony człowiek, a ma takie zdrożne myśli.

– Jakoś to przeżyję.

Dillon pozostawił opracowanie szczegółowego planu Harry'emu Salterowi, który spisał się znakomicie. Tego wieczoru miał na sobie rozpiętą pod szyją koszulę z ciemnego lnu i kremowy tropikalny garnitur. Wyglądał doskonale. Siedział z Billym w ogródku kawiarenki znajdującej się naprzeciw lokalu madame Rosy i – dzięki dyskretnie wręczonej łapówce – czekał na wiadomość o nadejściu Costella. Kiedy ją otrzymał, wszedł do środka – starszy, dobrze ubrany i zdrowo wyglądający pan, do którego dziewczęta ustawiły się w kolejce. Billy zaczekał, aż Costello wejdzie do burdelu, po czym ruszył za nim.

Bell i jego ludzie siedzieli z Kate Raszid, ponownie studiując mapę.

– A zatem zajmiemy pozycję tutaj – powiedział Bell. – Około południa szejkowie pojawią się na drodze wiodącej do Świętych Studni. My polecimy tam dzisiaj, samolotem Carvera. W Oazie Szabwa pobierzemy broń i rano pojedziemy land-roverem na miejsce zasadzki.

– To brzmi rozsądnie – orzekła Kate.

– Jeszcze jedno. Spotkamy się tam z pani bratem i jego Beduinami. Może będziemy potrzebowali wsparcia. Lepiej, żeby byli przygotowani.
– Dobrze – zgodziła się Kate. – Porozmawiam z George'em.
Zadzwoniła do Londynu, do Paula, ale nie zastała go, więc wystukała numer jego komórki. Odebrał od razu.
– Jak stoją sprawy?
– Świetnie. Lecimy do Oazy Szabwa jednym z samolotów Carvera.
– Spotkamy się tam. Jestem w drodze. Wyląduję w Hamanie, a potem wezmę helikopter. Czekaj na mnie.
– Zaczekam.

Costello wymknął się z hotelu „Excelsior" i poszedł do lokalu madame Rosy, gdzie powitano go entuzjastycznie. Były tam trzy dziewczyny, gotowe spełniać wszystkie jego życzenia, włącznie z podaniem irlandzkiej whisky i kokainy. To nie było South Armagh. Nigdy w życiu nie było mu tak dobrze. Kiedy zaprowadziły go do ogromnej sypialni, całując i pieszcząc, a potem zaproponowały, żeby się rozebrał, nie posiadał się ze szczęścia. Dziewczęta wyszły, a Costello zaczął zdejmować ubranie, gdy nagle otworzyły się drzwi za jego plecami. Odwrócił się i zobaczył wchodzącego Harry'ego Saltera, a za nim Billy'ego.
– O co chodzi?! – wykrzyknął Costello.
Harry złapał go za gardło.
– Trzymaj dziób na kłódkę. Ubieraj się.
– Niedoczekanie.
Billy wyjął z kieszeni browninga i uderzył nim w skroń Costella.
– Rób, co ci mówią, jeśli chcesz żyć.

I Costello, przerażony jak jeszcze nigdy w życiu, zrobił, co mu kazano.

Zabrali go na „Sultana", gdzie czekał Dillon z Halem Stone'em. Dwaj arabscy marynarze przyprowadzili Costella. Dillon rzucił im jakiś rozkaz po arabsku. Zdarli z Costella marynarkę i koszulę, a potem spodnie, zostawiając go w gaciach. Salterowie niedbale oparli się o reling, a Hal Stone siedział na brezentowym składanym krzesełku, popijając zimne piwo. Za nim stali dwaj jego nurkowie.

– Nie wkurzaj mnie, Patrick. Bell nie przyleciałby tu z wami, gdybyście nie szykowali jakiegoś grubego numeru.

– Wypchaj się – powiedział Costello.

– O, to mi się podoba – zauważył Harry Salter. – Jak elegancko. Nie uważasz, że to elegancko, Billy?

– Nie. Prawdę mówiąc, Harry, myślę, że to nieuprzejme, głupie i samobójcze.

– Znowu naczytałeś się mądrych książek.

– Tracimy czas – rzekł Dillon. – Myślałem, że masz odrobinę rozsądku, ale najwyraźniej się pomyliłem. – Podszedł do burty, podniósł ciężki łańcuch i podał go jednemu z nurków, mówiąc po arabsku: – Owiążcie mu nogi i za burtę.

Costello wrzasnął, gdy przewrócili go i zaczęli owijać łańcuchem.

– Hej, co robicie?

– Popływasz sobie – odpowiedział mu Dillon. – Dołączysz do Kelly'ego i tych dwóch Arabów, którzy próbowali wykończyć Billy'ego i mnie.

– Nie zrobicie tego!

Hal Stone wstał.

– Rany boskie, Dillon, nie możesz tego zrobić.

Był niezastąpiony w rutynowej grze w dobrego i złego policjanta.

– No cóż, mam dość odgrywania miłego faceta. Ten tutaj zabijał, podkładał bomby, popełniał wszystkie możliwe zbrodnie. Nikt nie będzie po nim płakał.

Skinął na nurków. Ci podnieśli Costella i zaczęli wypychać go za burtę. Wrzeszczał ze strachu, aż zanurzyli mu głowę pod wodę.

– Wyciągnijcie tego pajaca – mruknął Harry Salter. – Może już się czegoś nauczył.

Costello leżał na pokładzie i szlochał. Dillon przykucnął przy nim.

– No, o co tu chodzi, Patrick?

– Powiem, przysięgam – wykrztusił Costello. – Jest tu banda Arabów, których nazywają Radą Starszych. Jutro rano mają przyjechać do miejsca zwanego Świętymi Studniami, a my mamy ich załatwić.

– Wielki Boże – powiedział Hal Stone.

– Gdzie? – spytał Dillon.

– Rama. Nazywają to Ramą.

Dillon zdjął z niego łańcuch. Costello nadal szlochał.

– Zamknijcie go w ładowni – powiedział Dillon po arabsku do nurków.

– Co powiedziałeś? Co powiedziałeś? O Boże, chcecie mnie zabić! – wrzasnął Costello, odwrócił się i wyskoczył za burtę.

Wynurzył się w bladożółtym świetle lamp rufowych, a Dillon powiedział:

– Billy.

Młodszy Salter starannie wycelował i strzelił w tył głowy odpływającego.

– Czy to było konieczne? – spytał niechętnie Stone.

– Było, jeśli nie chcemy, by wyszło na jaw, że wiemy, co chcą zrobić – odparł Harry Salter.

Bell i Kate Raszid czekali, a Tommy Brosnan i Jack O'Hara poszli szukać Costella. Wrócili bez niego. Bell powiedział z furią:

– Skurwiel. Obetnę mu jaja. Nie oprze się żadnej spódniczce. Pewnie zaszył się w jakimś burdelu i leży pijany.

– Co robimy? – zapytała Kate.

– Poradzimy sobie bez niego. Później skopię mu dupę, a teraz ruszajmy.

Ben Carver prowadził lotniczą firmę przewozową. Był pięćdziesięcioletnim mężczyzną, byłym dowódcą eskadry RAF-u, odznaczonym lotniczym Krzyżem Walecznych za udział w wojnie w Zatoce. Teraz miał sporą nadwagę. Jego pracownicy właśnie przygotowywali do lotu golden eagle'a. Bell podszedł do niego razem ze swoimi ludźmi i Kate Raszid.

– Słyszałem, że straciłeś samolot, Carver – powiedziała Kate. – Wyczarterowany.

– Tak, przez pana Dillona – odparł Carver. – Rozbił się na Ar-Rub al-Chali, ale pułkownik Villiers i jego Hazarscy Zwiadowcy ich znaleźli.

– O, to dobrze. Mam nadzieję, że samolot był ubezpieczony.

– Oczywiście, lady Kate.

– Chodźmy więc.

Po piętnastu minutach golden eagle wystartował, wzniósł się na trzy tysiące metrów i poleciał w kierunku Szabwy.

Dillon połączył się z Villiersem przez kodujący telefon komórkowy.

– Mam złe wieści, naprawdę złe wieści, dotyczące tego, po co oni tu przylecieli.

– Mów.

Dillon przekazał zdobyte wiadomości. Villiers wysłuchał go, a potem zapytał:

– Zawiadomiłeś Fergusona?

– Nie. I tak wkrótce powinien tu być.

– Dillon, jestem ponad dwieście kilometrów na południe od drogi do Świętych Studni, a ponadto rozdzieliłem siły. Wysłałem Bronsby'ego na wschód. Obaj mamy po pięćdziesięciu ludzi. Nie zdążę tam dotrzeć na czas.

– Trudno. Wobec tego zawiadom Radę Starszych. Niech zawrócą.

– Nie mogę tego zrobić, Dillon. Najwidoczniej chcą utrzymać to spotkanie w tajemnicy. To bardzo konserwatywni ludzie. Próbowałem już połączyć się z ich doradcami, ale wyłączyli telefon.

– Chcesz powiedzieć, że mamy siedzieć z założonymi rękami i pozwolić, by jechali na pewną śmierć przez jedną z najgorszych pustyń na świecie?

– Będziemy przemieszczać się najszybciej, jak się da, ale na tym terenie z pojazdów da się wycisnąć najwyżej trzydzieści kilometrów na godzinę. Zawiadomię Bronsby'ego, żeby dał wam wsparcie.

– On też nie zdąży. – Dillon zastanowił się. – A gdybyśmy polecieli samolotem do Szabwy?

– Jest teraz obstawiona przez Beduinów Raszida.

W tym momencie Dillon wpadł na pewien pomysł.

– W porządku. Zadzwonię niebawem.

Hal Stone zatelefonował do Bena Carvera.

– Słyszałem, że podróżowałeś po pustyni. Wróciłeś?

– Na to wygląda.

– Potrzebny mi samolot, który przeleci na wschód od Szabwy i zrzuci dwóch spadochroniarzy z trzystu metrów.

– Chyba oszalałeś.
– Dziesięć tysięcy funtów.
Carver zaniemówił ze zdumienia. Milczenie się przedłużało. Stone spojrzał na Dillona, który kiwnął głową.
– No dobra, piętnaście tysięcy. No już, to tylko godzina lotu. Zrzucisz ich i wracasz.
Żądza zysku, jak zawsze, wzięła górę.
– No dobra, zrobię to – zgodził się Carver.
Dillon wziął słuchawkę od profesora.
– Carver? Tu Dillon. Możemy potrzebować cię później, żeby odebrać generała Fergusona z wojskowego lotniska w Hamanie i przewieźć na pustynię.
– Posłuchaj... – zaczął Carver.
– Dwadzieścia tysięcy – powiedział mu Dillon. – Jak ci się to podoba?
Carver westchnął.
– Słyszałem o Fergusonie.
– Ja myślę. Podlega bezpośrednio premierowi.
– A więc to koszerna robota?
– Jak za dawnych czasów w RAF-ie. Przygotuj samolot i dwa spadochrony.

Dillon podszedł do Billy'ego i Harry'ego, którzy pili kawę przy relingu.
– Na czym stoimy? – zapytał Harry.
– Lecimy we dwóch, Billy i ja.
– Dillon, co się szykuje tym razem?
– Rozmawiałem z Villiersem. Rozdzielił swoje siły. Będzie jechał przez całą noc, ale dla pojazdów rozwijających prędkość trzydziestu kilometrów na godzinę to cholernie długi dystans do pokonania. Poza tym, lądowisko w Szabwie jest w rękach Raszidów. A według Villiersa,

Rada Starszych wyłączyła telefony ze względów bezpieczeństwa.

– A więc jadą na pewną śmierć, która czeka ich rano – powiedział Hal Stone.

– Nie zamierzam do tego dopuścić. – Dillon odwrócił się do Billy'ego. – Zeszłego roku w Kornwalii spisałeś się doskonale. Bez żadnego przygotowania wyskoczyłeś z wysokości dwustu metrów. Ktoś powinien dać ci medal.

– Hej, Dillon, daj spokój – mruknął Harry. – Mówisz o skakaniu z samolotu? Chcecie we dwóch namieszać tamtym, dopóki Villiers nie pojawi się ze swoimi kowbojami? Mam rację?

– Właśnie tak, Harry. Billy to niezależny duch i podziela moje upodobanie do filozofii.

– A cóż to ma znaczyć, do diabła?

– Platon. Pamiętasz, Billy?

Billy Slater, londyński gangster, mający w dorobku cztery odsiadki i kilka trupów, uśmiechnął się i odparł:

– Jasne, że pamiętam. „Życie niesprawdzone niewarte jest przeżycia". Co według mnie oznacza życie niepoddane próbie. Czas poddać się próbie, Sean.

– Porządny z ciebie gość. Polecę z Carverem jego golden eagle'em, tak jak w Kornwalii, Billy. Tylko że tym razem będzie to skok z trzystu metrów. Niektórzy mówią, że jestem szalony albo przynajmniej niezrównoważony. Robiłem w życiu różne paskudne rzeczy, ale Raszidowie popełniają znacznie gorsze czyny i zamierzam ich powstrzymać.

– Mylisz się, Dillon – powiedział Billy. – My zamierzamy ich powstrzymać.

– Billy, ty też jesteś stuknięty – powiedział mu Harry.

– A co mam robić? Wracać do Wapping? Strzelać do gołębi i nudzić się tak, że w końcu zrobię coś głupiego i dostanę pięć lat? – zaśmiał się Billy. – Wolę już umrzeć za coś, co jest tego warte.

Harry Salter był zdumiony.

– Co mam powiedzieć?

– Nic – rzekł Dillon. – Leć z nami.

10

W Londynie Charles Ferguson układał papiery na biurku, kiedy rozległ się dzwonek u drzwi wejściowych. Chwilę później Kim wprowadził Blake'a Johnsona.

– Dobrze cię widzieć, Blake.

– Przysłał mnie prezydent. Ostatnie wiadomości nim wstrząsnęły.

– Zdajesz sobie sprawę, Blake, że Hazar nie podlega niczyjej jurysdykcji. Pogranicze Ar-Rub al-Chali to ziemia niczyja. Można tam toczyć wojny, wystrzelać Radę Starszych, robić, co się chce i pozostać poza zasięgiem międzynarodowych trybunałów.

– Tak, wiemy o tym, Charles, ale taki zamach miałby bardzo daleko idące konsekwencje.

– I dlatego prezydent przysłał cię tutaj?

– Tak.

– Rozmawiał już z premierem?

– Tak sądzę.

– No cóż, udamy się teraz na Downing Street i też z nim porozmawiamy. Masz szczęście, Blake – tego samego dnia rozmawiasz z prezydentem i premierem.

W drzwiach najsłynniejszego domu na świecie powitał ich adiutant.

– Generale Ferguson, panie Johnson. Premier oczekuje panów.

Zaprowadził ich po schodach na piętro, mijając portrety poprzednich premierów, zapukał i otworzył drzwi do gabinetu. Najmłodszy premier, jaki zajmował to stanowisko od stu lat, siedział za biurkiem. Miał na sobie koszulę z krótkimi rękawami. Podniósł głowę, poważnie spojrzał na przybyłych, po czym się uśmiechnął.

– Generale Ferguson. – Wstał, wyszedł zza biurka i uścisnął im ręce. – I pan Johnson? W samą porę. – Poklepał Blake'a po ramieniu. – Prezydent zaznajomił mnie z sytuacją. Chciałbym poznać waszą opinię.

Później przyniesiono im herbatę i kawę. Premier siedział z poważną miną.

– To nie do wiary, że ci Raszidowie poważyli się na coś takiego. Dobrze znam earla.

– Fakty mówią same za siebie, panie premierze – zauważył Ferguson.

– To oburzające. Usiłował zamordować prezydenta, a teraz Radę Starszych Hazaru. – Premier zwrócił się do Blake'a. – Czy zgadza się pan ze mną, że to miałoby katastrofalne skutki?

– Takie jest również nasze zdanie, panie premierze.

Premier milczał przez chwilę, zasępiony.

– No cóż, możecie działać z moją pełną aprobatą. – Wstał. – Jestem umówiony. Proszę zrobić co trzeba, generale.

Wyprowadzono ich. Audiencja była skończona.

– Blake, nasz następny przystanek to Hazar – powiedział Ferguson.

W Hazarze Kate Raszid i Bell wylądowali na lotnisku nieopodal Szabwy. Cztery godziny później czekali w wojskowej bazie lotniczej w Hamanie na gulfstreama Paula Raszida. W bladym świetle pustynnego świtu samolot wylądował i podjechało do niego kilka land-roverów. Z pierwszego wysiadła Kate, ubrana w koszulę i spodnie khaki oraz arabskie nakrycie głowy.

Paul Raszid uściskał siostrę.

– Gdzie George?

– Ze swoimi ludźmi przy drodze do Świętych Studni, razem z Bellem i jego grupą. Czy u Michaela wszystko w porządku?

– Pilnuje spraw w Londynie.

Beduińscy wojownicy Raszida wysiedli z samochodów i stali w milczeniu, z bronią w rękach. Kate odwróciła się i pstryknęła palcami. Młody chłopiec podbiegł z dżelabiją, pomógł Paulowi ją włożyć, a potem podał mu zawój. Raszid założył nakrycie głowy, następnie odwrócił się do wojowników i podniósł prawą rękę, zaciśniętą w pięść.

– Moi bracia! – zawołał po arabsku i objął ramieniem Kate.

Wywijając karabinami, odpowiedzieli chóralnym okrzykiem.

– Zróbmy to.

Pomógł jej wsiąść do pierwszego land-rovera i zajął miejsce obok niej, po czym zapalił papierosa.

– A więc Bell i jego ludzie działają zgodnie z planem?

– Tak. Jak już ci mówiłam, George ze swymi wojownikami daje im wsparcie. Jedynym problemem jest to, że zaginął jeden z ludzi Bella. Pijak i kobieciarz. Próbowali go odszukać, ale bezskutecznie. Bell sądzi, że spił się w jakimś burdelu.

– To mi się nie podoba. Takie dziwne zbiegi okoliczności są podejrzane.

– Ten facet to tego rodzaju typ, Paul.

– A Dillon?

– Nadal na pokładzie „Sultana” z profesorem Stone’em i tymi dwoma londyńskimi gangsterami.

– Są daleko od domu.

– Hazar to nie Wapping. Tam może są kimś, ale tutaj się nie liczą.

– Racja. – Paul Raszid miał ponurą minę. – Czy Szabwa jest nasza?

– Całkowicie. Dillon nie zdołałby wylądować tam samolotem, nawet gdyby chciał.

– A dlaczego miałby to robić? Przecież nie wie, co się dzieje. – Raszid pokiwał głową. – Pojadę z eskortą do miejsca zasadzki i dołączę do George’a oraz Bella. – Spojrzał na nią i uśmiechnął się. – Pojedziesz ze mną?

– To będzie dla mnie zaszczyt, bracie.

– Dobrze siostrzyczko. Damy światu popalić.

Kate chwyciła go za rękę i mocno uścisnęła.

Na lotnisku, o świcie, Carver wyprowadził golden eagle’a. Hal Stone czekał z Dillonem i Salterami. Irlandczyk otworzył przywiezioną z Londynu torbę z wybranym sprzętem, dostarczonym im przez starszego sierżanta. Tytanowe kamizelki kuloodporne, AK-47, dwa browningi z tłumikami, pół tuzina granatów odłamkowych i dwa pistolety maszynowe Parker-Hale. Dillon i Billy przygotowali się do lotu.

– Co się tu dzieje? – zapytał Carver.

– Nadal jesteś w rezerwie RAF-u? – spytał Dillon.

– I co z tego?

– No cóż, odznaczono cię Krzyżem Zasługi. Teraz masz szansę dostać drugi. Jesteśmy tymi dobrymi facetami, Ben. W dodatku twoimi facetami. Widzisz w tym jakiś problem?

Carver natychmiast się uśmiechnął.

– Nie, cholera, skądże.

– No, to zróbmy to. – Dillon odwrócił się. – Lecisz z nami, Harry?

Zamiast Saltera seniora odpowiedział Stone:

– Dillon, moi akademiccy koledzy nigdy w to nie uwierzą, ale ja też się z wami zabieram. Billy miał rację. Życie niepoddane próbie jest nic niewarte.

Na pustyni Bell, O'Hara i Brosnan uwijali się na biegnącej przez wąwóz drodze, rozkładając paczki semteksu i przeciągając przewody do detonatora. Było wcześnie i jeszcze nie zaczął się skwar. Beduini rozsiedli się i w milczeniu obserwowali George'a Raszida.

– Zabawne, no nie? – zauważył Bell. – W South Armagh to nas próbował pan załatwić.

– Oczywiście. Byłem podporucznikiem Jej Królewskiej Mości w pierwszym spadochronowym. Wy byliście nieprzyjaciółmi. Osobiście zastrzeliłem dwóch waszych.

– Drań – warknął Brosnan.

– Nie bądź głupi – rzekł mu Bell. – Robił swoją robotę. Przeciągaj przewody.

Półtorej godziny wcześniej Carver nadleciał na wysokości trzech tysięcy metrów i obniżył pułap. Dillon spojrzał mu przez ramię.

– To tu?

– Wiem tylko, że to Rama.

– Zejdź niżej i upewnij się, że nie ma ich tutaj.

Golden eagle opadł na sześćset metrów.

– Wygląda na to, że teren jest czysty – rzekł Carver.

– To dobrze. Zawrócisz, a my wyskoczymy.

– Jesteś stuknięty, wiesz o tym?
– Owszem, ale właśnie dlatego życie jest takie interesujące, Ben.
Dillon wrócił na tył samolotu i skinął na Billy'ego.
– Czas na nas. Otwórzcie drzwi.
Harry pomógł Stone'owi, który zmagał się z dźwignią uruchamiającą drzwi. Wreszcie otworzyły się, schodki opadły i wiatr z impetem wtargnął do środka. Stone i Harry trzymali się uchwytów, a Billy z Dillonem ruszyli do drzwi. Na piersiach mieli zawieszone AK-47 i pistolety maszynowe Parker-Hale.
– Ty pierwszy – Dillon przekrzyczał ryk wiatru. – Jesteś młodszy.
Billy roześmiał się.
– Jesteś starszy, więc będę pierwszy na ziemi, żeby cię osłaniać.
Zszedł po schodkach i skoczył głową naprzód, a Dillon za nim. Golden eagle zaczął zawracać, a Stone i Harry mocowali się z drzwiami, aż wreszcie zdołali je zamknąć. Harry podbiegł do okna i gdy samolot się przechylił, Salter dostrzegł na ziemi dwa spadochrony.
– Udało im się.
– To dobrze – odparł profesor Stone. – A teraz wynośmy się stąd, zanim ktoś nas zauważy i zacznie zadawać pytania.

W Northolt Ferguson zastał Laceya i Parry'ego, czekających przy gulfstreamie, oraz starszego sierżanta z dwoma kałasznikowami i czterema browningami.
– Znowu na wojnę, generale? – zapytał.
– No cóż, tam, dokąd lecimy, nie jest zbyt spokojnie, więc lepiej się przygotować. – Zwrócił się do Blake'a. – Umiesz posługiwać się AK?

– Charles, to tak jakbyś pytał twoją babcię, czy umie gotować. Byłem w Wietnamie.

Ferguson uścisnął rękę starszemu sierżantowi i rzekł do Laceya:

– Cztery browningi, pilocie. Po jednym dla was obu. Hazar może okazać się bardzo niezdrowym miejscem. Pomyślałem, że powinniście być należycie wyposażeni.

– To bardzo przezornie z pana strony, generale – odparł Lacey. – Mamy na pokładzie młodą damę, która zajmie się aprowizacją. Sierżant Avon.

– Znajdźcie jeszcze jednego browninga – powiedział Ferguson do starszego sierżanta.

– Tak jest, sir.

Później, kiedy siedzieli w samolocie gotowym do startu, z kokpitu wyszła młoda kobieta. Nie miała na sobie munduru RAF-u, lecz granatową garsonkę. Kiedy samolot wzbił się w niebo, zapytała:

– Czego panowie sobie życzą?

– Później, sierżancie – uśmiechnął się Ferguson. – Wiecie, kim jestem?

– Oczywiście, panie generale.

Wyjął dodatkowy browning, otrzymany od starszego sierżanta.

– Zakładam, że przeszliście podstawowe przeszkolenie strzeleckie?

– Tak jest, sir.

– To dobrze. Weźcie to. Możemy mieć kłopoty. Chcę wiedzieć, że macie się czym bronić w razie potrzeby.

Zachowała niezmącony spokój.

– To bardzo miło z pana strony, generale. Mam tu sałatkę z krewetek, duszoną wołowinę z ziemniakami, wędzonego łososia i krupnik.

– Brzmi zachęcająco – rzekł Blake.
Ferguson uśmiechnął się.
– Pan Johnson pracuje dla prezydenta Stanów Zjednoczonych – wyjaśnił generał i dodał: – Niech pani będzie gotowa posłużyć się browningiem. Nasi przeciwnicy nie są miłymi ludźmi.
– Żaden problem, sir. Jeśli mają panowie ochotę na kieliszek szampana, to w lodówce mam butelkę Tattingera. – Z tymi słowami młoda kobieta się oddaliła.
– Ciekawe, jak sobie radzi Dillon?
– Powinieneś raczej zapytać, jak sobie radzą tamci – poprawił go Ferguson.

Wylądowawszy na ziemi, Dillon odpiął spadochron, zakopał go w miękkim piasku i poszedł szukać Billy'ego. Wdrapał się na szczyt najbliższej wydmy i zobaczył go nieco niżej, zakopującego spadochron. Zszedł do Billy'ego, brnąc w piachu.
– Wszystko w porządku?
– Jasne – odparł Billy. – Powinniśmy robić to częściej.
Dillon wyjął telefon komórkowy i zadzwonił do Villiersa. Pułkownik zgłosił się niemal natychmiast.
– Jesteśmy na ziemi, cali i zdrowi.
– Widzieliście przeciwnika?
– Na razie ani śladu. Pójdziemy do Ramy i sprawdzimy sytuację na drodze. Gdzie jesteście?
– Trzydzieści kilometrów od was.
– A Bronsby?
– Czterdzieści pięć do pięćdziesięciu na wschód.
– Dobrze. My podejdziemy teraz do drogi. Gdy tylko zauważę tamtych, natychmiast dam znać.
Wepchnął telefon do kieszeni na piersiach, wyjął kompas i sprawdził wskazania.

– Dobra, ruszajmy. Kiedy dojdziemy do drogi, wdrapiemy się na jedną z wydm i zorientujemy się w sytuacji. – Wyjął z plecaka zawój i założył na głowę. – Zrób to samo, Billy, bo będzie gorąco.

Po godzinie dotarli do drogi i ruszyli wzdłuż niej lekkim truchtem. Na cienkiej warstwie piasku, pokrywającej drogę, nie zauważyli śladów opon ani ludzkich stóp. Wreszcie Dillon zatrzymał się. Przed sobą mieli wąwóz.

– To na pewno tu. Wejdźmy tam. – Wskazał na wierzchołek piaszczystego wzgórza, które miało co najmniej sto pięćdziesiąt metrów wysokości. – Stamtąd zobaczymy każdy zbliżający się obiekt.

W szybko potęgującym się skwarze z trudem wspinali się po stromym zboczu. W końcu dotarli na szczyt i usiedli. Billy wyjął manierkę z wodą, napił się i podał ją Dillonowi, który pociągnął kilka łyków, a potem wziął lornetkę Zeissa i rozejrzał się wokół.

– Tam – wskazał ręką i przekazał lornetkę Billy'emu. – Są na wschodzie, na samym końcu drogi.

Billy spojrzał, poprawił ostrość i w polu widzenia zobaczył pierwszego z długiej kolumny land-roverów.

– Jezu – mruknął. – Raszidowie zbliżają się bardzo szybko.

– Chyba masz rację, Billy.

– A nas jest tylko dwóch.

– Niech podjadą bliżej. Wtedy zadzwonię do Villiersa i dam mu znać, gdzie jesteśmy.

W głębi wąwozu Bell, O'Hara i Brosnan kończyli zakładać ładunki. George Raszid i jego ludzie siedzieli w pobliżu, czekając. W górze nad nimi kilku Beduinów pełniło wartę. Nagle jeden z nich wystrzelił w powietrze, wstał i zaczął machać rękami. Po chwili pojawiły się dwa land-rovery, podjechały blisko i zatrzymały się. Z samochodu wysiedli Paul i Kate Raszid.

Paul podszedł do Bella i zapytał:

– Jak idzie?

– Byłoby znacznie lepiej, gdyby nie przeszkadzała nam banda idiotów w prześcieradłach.

Obok niego stała plastikowa butelka z wodą. Nagle w oddali huknął strzał i butelka podskoczyła w powietrze. Dwaj ochroniarze rzucili się do Paula Raszida i Kate, odciągnęli ich na bok i pobiegli z nimi w kierunku kolumny land-roverów. Padł kolejny strzał i jeden z nich rozciągnął się na ziemi, trafiony w plecy.

Siedząc na wierzchołku wydmy, Dillon spojrzał przez lornetkę.

– To Paul Raszid i lady Kate. Kto wymyślił taki scenariusz?

– Nie mam pojęcia, Dillon. Wiem tylko, że ich jest tam czterdziestu, a nas tylko dwóch.

– Trzeba żyć niebezpiecznie, Billy. Ja zdejmę tego po lewej, który zakłada ładunek. Ty tego po prawej.

Starannie wycelował i strzelił w plecy O'Harze, który właśnie wstał. Brosnan machając rękami, pędził w kierunku kolumny samochodów, gdy Billy przestrzelił mu kręgosłup, rzucając twarzą w piach.

Paul Raszid spokojnie popatrzył na wierzchołek wydmy, nastawił lornetkę i zobaczył dwóch mężczyzn.

– Dobry Boże, to Dillon.

Odwrócił się i zawołał po arabsku do swoich ludzi:

– Otoczyć wydmę! Chcę mieć ich żywych!

Dillon wyjął telefon komórkowy, zadzwonił do Villiersa i zapoznał go z sytuacją.

– Niedługo tam będziemy, utrzymacie się? – zapytał Villiers.

– Jest nas tu tylko dwóch, pułkowniku.

– Trzymaj się, Dillon, pędzimy jak wszyscy diabli.

– A Bronsby?

– Tak samo, tylko z drugiej strony.

– No cóż, mam nadzieję, że zdążycie. Właśnie atakują. – Schował telefon do kieszeni. – Uwaga, Billy.

Starannie celując, zaczął strzelać do biegnących w górę Arabów. Billy poszedł w jego ślady.

– Posłuchaj, Dillon, jeśli teraz nadjedzie Rada Starszych, to ta strzelanina powinna ich ostrzec.

– Właśnie, Billy. Módlmy się, żeby pułkownik Villiers dotarł w porę.

Tymczasem Villiers wpadł na znakomity pomysł. Spiesząc na pomoc Dillonowi, przeciął drogę konwojowi z Radą Starszych, zatrzymał ich i porozmawiał z dowódcą eskorty. Konwój zawrócił i pojechał z powrotem, Villiers zaś ze swoimi ludźmi ruszył w kierunku Ramy.

Dillon i Billy kulili się w pospiesznie wykopanych dołkach, pocieszając się tylko tym, że na razie mają przewagę, ponieważ znajdują się na szczycie wzgórza, na wysokości stu pięćdziesięciu metrów. Zastrzelili kilku Beduinów, którzy próbowali wspiąć się na wierzchołek wydmy, ale nadal powstrzymywali ich tylko we dwóch... W pewnym momencie w oddali, na szosie, pojawiły się pojazdy Villiersa.

Jeden z Beduinów podbiegł do Paula Raszida i pokazał

mu nadciągającą kolumnę. Raszid spojrzał w tym kierunku przez lornetkę i zobaczył Tony'ego Villiersa w pierwszym land-roverze.

– Niech to szlag. Jadą Hazarscy Zwiadowcy.

– A więc pozostała nam tylko kompletnie bezużyteczna bomba – zauważyła Kate.

– Wynośmy się stąd – powiedział Paul Raszid. – Odpłacimy im innym razem.

Jego ludzie wycofali się do samochodów, ostrzeliwując wierzchołek wydmy. Billy i Dillon odpowiadali ogniem. Land-rovery ruszyły, zmierzając na pustynię. Dillon zapalił papierosa i patrzył na nadjeżdżający oddział Villiersa.

– W samą porę, czy nie tak się mówi?

Zeszli na dół i kiedy kolumna samochodów zatrzymała się, z jednego z nich wysiadł Villiers.

– Tam jest bomba – powiedział mu Dillon. – Jeśli macie nożyce do cięcia drutu, rozbroję ją.

– To bardzo uprzejme z pańskiej strony. – Villiers powiedział kilka słów po arabsku do jednego ze swoich żołnierzy. Ten po chwili przyniósł Dillonowi potrzebne narzędzie.

Potem siedzieli obok land-rovera, pijąc gorzką czarną herbatę i paląc papierosy.

– A więc Rada Starszych jest bezpieczna – powiedział Villiers. Dillon wyjął paczkę marlboro i zapalił następnego papierosa. Tony Villiers wyciągnął rękę i poczęstował się. – Powiem wam coś. Byłem jego dowódcą podczas wojny w Zatoce i teraz bardzo chciałbym wiedzieć, co się dzieje w jego głowie.

– Paula Raszida? – upewnił się Dillon. – Niech mi pan coś powie, pułkowniku. Służył pan w Irlandii. Pamięta pan Franka Barry'ego?

– Jak mógłbym go zapomnieć?

– On też miał tytuł. Irlandzki par, lord Spanish Head

na wybrzeżu Down, mnóstwo forsy. Jednak dla niego najważniejsza była rozgrywka, temu podporządkował wszystkie swoje pomysły.

– I uważa pan, że to dotyczy również Paula Raszida?

– On robił już wszystko. Ma wszystko. Tak, powiedziałbym, że jedyną rzeczą, jaka naprawdę się dla niego liczy, jest rozgrywka, a gra wysoko.

– A zatem Rama jest dzisiaj Bosworth Field.

Billy, londyński gangster, spytał:

– Dauncey, takie jest ich nazwisko rodowe?

– Zgadza się – odparł Dillon.

– No cóż, przegrali z Ryszardem Trzecim i przegrali z nami.

Dillon przez chwilę zastanawiał się nad tym, a potem parsknął śmiechem.

– To prawda, Billy, szczera prawda. Próbujesz dać nam coś do zrozumienia? – Odwrócił się do Villiersa. – Billy'ego i mnie łączą podobne zapatrywania na moralność. Dotyczy to również Paula Raszida.

– To naprawdę interesujące, że Sean Dillon, duma IRA, roztrząsa filozoficzne problemy moralności.

– Nie aprobował pan mojej sprawy, pułkowniku, ale byłem takim samym żołnierzem jak pan i cholernie dobrze zdaje pan sobie sprawę z tego, że dla żołnierza nie liczą się pieniądze, sukcesy czy zaszczyty. Żołnierz chwyta za broń i staje do walki.

– Niech cię diabli, Dillon – rzekł Tony Villiers. – Jesteś zbyt dobrym żołnierzem.

Pojechali na zachód, po śladach kolumny Raszida. Stopniowo ściemniało się, aż wreszcie zapadł zmierzch. Kilkanaście kilometrów dalej kornet Bronsby z Królewskiej Gwardii Konnej podążał ze swoimi żołnierzami na przewidywane miejsce spotkania, gdy nagle znalazł się pod ostrzałem.

Jego żołnierze odpowiedzieli ogniem. Wywiązała się zaciekła strzelanina. Napotkali kolumnę Paula Raszida, wycofującą się z wąwozu Rama. Próbowali atakować, lecz przeciwnik miał przewagę. W końcu Bronsby postanowił przerwać walkę i nakazał odwrót. W zamieszaniu kilku Beduinów wypadło z ciemności i go obezwładniło.

Paul Raszid, Kate i Bell jechali na południe, aż w końcu połączyli się z grupą George'a i napotkali oddział Bronsby'ego. Paul Raszid był niezadowolony. Siedział w samochodzie wraz siostrą i bratem, gdy przyprowadzono Bronsby'ego.

Doznał uczucia déjà vu, jakby znów znalazł się w Sandhurst. Ten młody porządny Anglik był żołnierzem, który wykonywał swoją robotę. Pod wieloma względami, Raszid również nim był. Stanął w obliczu trudnej decyzji, której nie potrafił usprawiedliwić. Wiedział tylko, że to wszystko miało wyglądać zupełnie inaczej...

– Wiem, gdzie oni są – rzekł Villiers do Dillona. – Moi szpiedzy w pełni zasłużyli na swoją zapłatę. Jeden z ich rannych potwierdził, że złapali Bronsby'ego.

– To niedobrze, prawda? – zauważył Dillon.

– Wprost źle. To bardzo okrutni ludzie. To, co nam wydaje się okropne, dla nich jest najzupełniej normalne.

– A więc ten chłopak będzie miał kłopoty – rzekł Dillon.

– Obawiam się, że tak.

Dillon siedział, paląc papierosa i zastanawiając się nad sytuacją.

– To mi się nie podoba – powiedział do Billy'ego. –

Bronsby to wprawdzie tylko szczeniak, ale robił swoją robotę.

– No właśnie. Ja też nie jestem tym zachwycony.

Dillon zapytał Villiersa:

– Dokąd jedziemy?

– Sądzę, że do Szabwy.

– I co zrobimy? Porozmawiamy w cztery oczy z Paulem Raszidem i dobrą Kate?

– W pewnym sensie. – Villiers milczał chwilę, a potem dodał: – Ona ci się podoba, Dillon.

– Do licha, a komu się nie podoba? – zaśmiał się Irlandczyk i zapalił następnego papierosa. – Wypchaj się, pułkowniku. Pogoń swoich ludzi, niech się pospieszą. Może zdołamy pomóc Bronsby'emu.

11

Wokół Oazy Szabwa płonęły wieczorne ogniska, przy których siedzieli Beduini Raszida. Villiers i jego ludzie, którzy przybyli na pomoc Bronsby'emu, byli zmęczeni, ale wystarczyło im sił, żeby przygotować posiłek. Tuż po północy dały się słyszeć przeraźliwe krzyki, które nie milkły do rana.

Na wzgórzu Paul Raszid, George i Kate podeszli do związanego Bronsby'ego.

– Czy naprawdę tego chcesz, bracie? – spytała Kate. – Był żołnierzem tak jak ty, gwardzistą.

– To nie ma nic do rzeczy.

– Czy to cię nie niepokoi?

– Bardzo mnie niepokoi – odparł kwaśno – ale mam ważniejsze problemy.

Była pełnia i zbocze pagórka było skąpane w ostrym świetle księżyca. Hazarscy Zwiadowcy czekali w swoich kryjówkach. Palili papierosy i pili angielską kawę, dostarczoną w samorozgrzewających się puszkach.

Tony Villiers siedział za głazem obok Dillona i Billy'ego. Popijali herbatę z domieszką whisky Bushmills, którą dostarczył pułkownikowi jego ordynans, Ali.

– Odpowiada ci, Dillon?

– Jak najbardziej.

– Ja dziękuję. Nie piję – powiedział Billy.

Villiers zwrócił się do ordynansa niemal płynnie po arabsku:

– Poczęstowałbym cię także, Ali, lecz wiem, że prorok zabrania.

– Prorok, niech jego imię będzie błogosławione, jest pełen zrozumienia – odparł Ali. – A noc jest chłodna.

– A zatem macie po łyku – powiedział Villiers. – Jeden dla ciebie, a drugi dla radiooperatora.

Skinął na Aziza. Ali podał butelkę Azizowi, który pociągnął łyk i oddał ją ordynansowi. Ten otarł szyjkę i napił się.

Z góry nadleciał następny krzyk i ucichł.

– Co oni mu robią? – zapytał Billy.

– Skóra – odparł Ali – obdzierają go ze skóry. Potem utną mu męskość.

Znowu rozległy się krzyki.

– Przydałby mi się jeszcze łyk – zauważył Dillon.

Villiers nalał whisky do kubka Irlandczyka.

– Prawie mam ochotę się napić, ale nie zrobię tego. Natomiast chętnie wpakowałbym kulkę Paulowi Raszidowi.

– Wiesz, że tamten sahib ma dopiero dwadzieścia dwa lata? – zapytał Villiers Alego.

– To jeszcze dzieciak, pułkowniku.

Zatrzeszczało radio. Aziz posłuchał i odwrócił się do nich.

– Goście, sahibie. Brytyjski generał Charles Ferguson i dwóch innych.

– Wspaniale. Uprzedź naszych ludzi.

We wjeżdżającym na wzgórze dżipie siedzieli Ferguson, Blake i Harry Salter, ubrani w polowe mundury i arabskie nakrycia głowy. Dżip stanął w cieniu i wszyscy trzej wysiedli. Billy podszedł do nich, a wuj go uściskał.

– A więc jesteś cały, ty draniu? Słyszałem, że siedzieliście w gównie po uszy. Chyba rywalizujesz z Billym Kidem.

– Fajnie wyglądasz – uśmiechnął się Billy. – Chyba nie kupiłeś tego na Savile Row.

– Czuję się jak statysta w gwiazdkowej pantomimie w „Palladium".

– Blake Johnson, pułkownik Tony Villiers – przedstawił ich Ferguson. W tym momencie z góry znów nadleciał przeraźliwy krzyk. Ferguson zrobił przestraszoną minę. – Co się tam dzieje?

– To kornet Richard Bronsby z Królewskiej Gwardii Konnej, podporucznik kawalerii. Powinien jeździć po Londynie w napierśniku i hełmie. Niestety, jest tutaj i właśnie torturują go Beduini Raszida.

Następny krzyk był przeciągły i jeszcze głośniejszy.

– Chciałbym to przerwać – powiedział Villiers – ale jest ich zbyt wielu i mają lepszą pozycję.

Na wzgórzu Paul, Kate i George Raszid oraz ich ludzie czekali przy ogniskach, podczas gdy nieco dalej, w cieniu, leżał torturowany kornet Richard Bronsby.

Aidan Bell siedział przy ogniu, wstrząśnięty, pijąc whisky i paląc papierosa. Paul Raszid przykucnął przy nim.

– Chcę, żeby opuścił pan Hazar. Moi ludzie czekają na pana przy South Audley Street. Rosyjski premier przybędzie do Londynu w przyszłym tygodniu. Ja przylecę tam tuż za panem. Niech pan coś wymyśli.

– Jezu, czy Nantucket nie wystarczy? Nie dość już tego?

– Nie, dopóki się nie zemszczę. To mnie nie zadowala. Pojedzie pan land-roverem. Niech pan zbiera się natychmiast i działa szybko. Kiedy przyjadę do Londynu, chcę mieć gotowy plan akcji.

Wstał, odszedł i dołączył do Kate oraz George'a, którzy siedzieli przy ognisku. Dziewczyna była spięta. Wrzaski Bronsby'ego działały jej na nerwy.

– Paul, czy to konieczne?

– Moi ludzie tego potrzebują, Kate. Wiem, że to nieprzyjemne, ale właśnie tego oczekują.

Siedziała zła i nieszczęśliwa. Bronsby znów zaczął okropnie krzyczeć i krzyczał długo, zanim ucichł.

– Myślę, że umarł, sahibie – powiedział Ali.

Villiers siedział w ponurym milczeniu.

– Dobry Boże – mruknął Ferguson.

Dillon rzekł do Blake'a:

– Tak to już jest. Pewnie przypomniały ci się zabawy Wietkongu w delcie Mekongu.

– A my wpuszczamy takich ludzi do naszego kraju – powiedział Harry Salter.

Dillon uśmiechnął się kwaśno.

– Harry, mówisz jak rasista.

Villiers podniósł AK-47.

– No, dobrze. Dosyć tego. Ali, rozejrzyjmy się. Za długo czekałem.

– Ma pan coś przeciwko temu, żebym wam towarzyszył? – zapytał Dillon.

Villiers zawahał się, a potem rzekł:

– Sądzę, że pod koniec dnia wszyscy jesteśmy po tej samej stronie ulicy. Chodźmy.

Villiers, Dillon, Billy, Harry oraz Blake weszli na wzgórze i znaleźli rozciągniętego na piasku korneta Bronsby'ego. Był martwy, miał skórę zdartą z piersi, a genitalia odcięte i wepchnięte do ust.

– Nie powinni tego robić, sahibie – rzekł Ali. – Wstyd mi za nich. To niehonorowo.

Był uzbrojony w stary jednostrzałowy karabin Lee Enfield. Kiedy odwrócił się, by ich poprowadzić, potknął się i upadł. Karabin wypadł mu z rąk. Dillon pomógł Alemu wstać, a Villiers podniósł karabin. Ali pokazał mu rękę.

– Niedobrze, sahibie. Chyba złamana.

– Zobaczymy – odparł Villiers. – Wracamy do obozu. Niech kilku ludzi zniesie go na dół, tylko zachowajcie ostrożność.

– Nie ma potrzeby, sahibie. Oni uznali to za zwycięstwo. Nie będą więcej zabijać. Ja to wiem. Jesteśmy jednej krwi.

– Ale ja nie – rzekł Dillon.

Znieśli korneta Richarda Bronsby'ego do obozu u stóp wzgórza, zapakowali go do worka na zwłoki i złożyli w land-roverze.

Ferguson widział, jak wyglądał młody oficer.

– Dobry Boże, dlaczego zrobili coś takiego?

– Okaleczyli go, żeby nas ostrzec – wyjaśnił Villiers. – Z całym szacunkiem dla Dillona, w Irlandii widziałem równie paskudne widoki.

Dillon zapalił papierosa.

– Ma rację, ale pod jednym względem jest w błędzie. Byłem członkiem IRA przez ponad dwadzieścia pięć lat. Zabijałem żołnierzy, zabijałem lojalistów, ale zawsze jak żołnierz, nigdy w taki sposób. – Zwrócił się do Villiersa. – Wie pan, że zaraz po wschodzie słońca przyjdą z nas drwić.

Villiers skinął głową.

– Z bezpiecznej, półkilometrowej odległości. Szkoda, Dillon. Nigdy nie byłem strzelcem wyborowym. Od tego miałem Alego. Teraz złamał sobie rękę, a oni rano będą krzyczeć, śmiać się i szydzić z nas.

Dillon uśmiechnął się.

– Mam nadzieję, pułkowniku, mam nadzieję. – Podniósł lee enfielda należącego do Alego. – Mój dziadek miał taki w tysiąc dziewięćset siedemnastym, w okopach Flandrii. Dostał medal za odwagę na polu walki. To ryglowa, jednostrzałowa broń, kaliber trzysta trzy.

Tony Villiers zapalił papierosa i podał paczkę pozostałym.

– Pamiętam również, że lee enfield był ulubioną bronią snajperów IRA z South Armagh.

– No cóż, ja jestem z County Down, ale zgadzam się z panem – odrzekł Dillon.

O poranku, gdy pierwsze promienie słońca zaczęły sączyć się przez chmury, Dillon z Fergusonem i pozostałymi pili kawę. Pomarańczowa kula słońca powoli uniosła się nad horyzont, przyćmiewając blask jutrzenki.

Nagle na odległym o pięćset metrów wzgórzu pojawiło się sześć sylwetek. Dillon spojrzał przez lornetkę Zeissa. W polu widzenia pojawił się Paul Raszid, George, trzej Beduini i Kate.

– Zgadnijcie, kto to – powiedział Dillon i oddał lornetkę Villiersowi.

– Chryste – mruknął pułkownik.

Jeden ze zwiadowców stał za nimi, trzymając lee enfielda należącego do Alego. Dillon pstryknął palcami i powiedział po arabsku:

– Teraz.

Na odległym wzgórzu Paul Raszid też spoglądał przez lornetkę.

– To Dillon – powiedział. – Z Tonym Villiersem, Fergusonem, Billym Salterem i jego wujem.

Zwiadowca podał Dillonowi lee enfielda. Irlandczyk owinął sobie pas wokół przedramienia. Pod wpływem jakiegoś perwersyjnego impulsu strzelił Paulowi Raszidowi pod nogi, wzbijając fontannę piasku. Raszid uskoczył za krawędź wzniesienia, pociągając za sobą Kate. Wtedy Dillon zastrzelił mężczyznę na końcu szeregu, a potem stojącego przy nim.

– Uciekają w popłochu, Sean – powiedział Ferguson. – Musimy wracać do Londynu. Zostaw ich.

– Akurat. Zastrzeliłem dopiero dwóch. Zamierzam zabić jeszcze dwóch. Patrz.

Dwoma strzałami położył dwóch następnych. Czwartym z nich był George Raszid.

Zapadła cisza. Za wierzchołkiem wzgórza Kate osunęła się na kolana, zdrętwiała z przerażenia.

– Zostaw go – powiedział Paul i złapał ją za rękę. – Chodź ze mną.

Dotarli do land-rovera i odjechali. Villiers wjechał na wzgórze, prowadząc kolumnę samochodów. Zobaczył cztery martwe ciała, leżące nieruchomo z szeroko rozrzuconymi rękami.

– Jest pan doskonałym strzelcem, panie Dillon – powiedział Villiers.

– Chryste, powinni nazywać cię katem – mruknął Harry Salter.

Villiers z Fergusonem spoglądali na zabitych Arabów. W pewnej chwili Ferguson zawołał:

– Dobry Boże, to George Raszid!

– Czy to jakiś problem? – zapytał Dillon.
– No cóż, Paul Raszid nie będzie zadowolony.
– Tak samo jak pani Bronsby, więc do diabła z Paulem Raszidem i jego cholernymi pieniędzmi.
Dillon wstał i odszedł.

W porcie, w willi Raszidów, Kate stała pod prysznicem, pozwalając, by ciepła woda rozgrzewała jej ciało. Daremnie próbowała poprawić sobie samopoczucie. Straciła brata, a ponadto, ona, angielska arystokratka i absolwentka Oxfordu, musiała być świadkiem okrutnych tortur, jakim poddano nieszczęsnego Bronsby'ego.
Wytarła się, włożyła szlafrok i wyszła z łazienki. Paul siedział przy otwartych drzwiach na taras, przeglądając dokumenty. Podniósł głowę.
– Jak się czujesz?
– A jak sądzisz? George nie żyje.
– Tak, i to Dillon go zabił. Nadal go lubisz, Kate?
– My zabiliśmy Bronsby'ego, i to w straszliwy sposób.
– Racja, a święta księga mówi, że oko za oko. Nie mam na myśli Koranu, ale Biblię.
– Czy wrócimy do domu?
– Nie wracamy do domu, jeszcze nie teraz. To Hazar. Ja nadal władam Raszidami, a nie Rada Starszych. Próba zamachu miała miejsce na pustyni Ar-Rub al-Chali, na ziemi niczyjej. Nikt nam nic nie może zrobić.
– Cóż więc masz zamiar uczynić, bracie?
– Zjeść obiad w hotelu „Excelsior". Gdybym był hazardzistą, założyłbym się, że właśnie tam pójdą dzisiaj nasi przyjaciele. I myślę, że z nich wszystkich właśnie Dillon będzie mnie niecierpliwie oczekiwał. Wiesz, jak lubię stare filmy. Często są bardziej prawdziwe niż życie.

– I co się stanie? Dojdzie do zbrojnej konfrontacji?
– Niekoniecznie. Co przydarzyło mi się w Szabwie?
– Zabójcy?
– Takich ludzi można znaleźć wszędzie. Zażywają quat i za odpowiednią cenę zabiliby własnych dziadków. Jeśli załatwimy Dillona i jego przyjaciół, do pewnego stopnia odpłacimy za śmierć George'a.
– A potem?
– Wrócimy do Londynu.
– I?
– Och, pomyślę o tym później. Teraz ubierz się. Włóż ładną suknię. Pójdziemy do hotelu „Excelsior" i zobaczymy, czy mam rację.

Siedzieli pod brezentowym daszkiem na rufie „Sultana" i pili drinki.
– I co teraz, Tony? – zapytał Ferguson.
– Nic mu nie zrobicie – odparł Villiers – i dobrze o tym wiecie.
– Nie moglibyśmy go tknąć, nawet gdyby był na Manhattanie – rzekł Blake.
– Albo w Londynie – dodał Dillon.
– A więc co zrobimy? – spytał Ferguson.
O pokład zabębnił przelotny deszczyk. Towarzyszący Villiersowi Ali, mający lewą rękę na temblaku, sięgnął po butelkę szampana i ponownie napełnił kieliszki.
– Zapytam Harry'ego – powiedział Dillon. – On jest znawcą ludzkiej natury. Bracia Kray i Al Capone nie dorastali mu do pięt.
Harry upił łyk szampana.
– Uznam to za komplement, ty mały irlandzki taki synu. Jak powiedzieliście, ten drań jest nietykalny nie tylko tutaj, ale wszędzie indziej. Pomimo to razem z puł-

kownikiem i Billym pokrzyżowaliście jego plany i zabiliście mu brata. To jak w Brixton, za dawnych dobrych czasów. On wszędzie ma tu oczy i uszy. Jeśli pojedziemy na kolację do hotelu „Excelsior", dowie się o tym, zanim upłynie dziesięć minut.

– Poprawka – powiedział profesor Hal Stone. – Pięć minut.

– Jasne – rzekł Dillon. – A wtedy zrobi się tu jak w burzliwy sobotni wieczór w Belfaście.

– No więc co robimy? – zapytał Ferguson.

Odpowiedział mu Billy.

– Prawdę mówiąc, jestem głodny. Zejdźmy na brzeg, chodźmy do hotelu i dajmy im bobu. Jeżeli ich tam nie będzie, to przynajmniej zjemy porządny posiłek.

Villiers parsknął śmiechem.

– Ty draniu. To niesamowite, że potwierdza się wszystko, co o tobie słyszałem.

– Jeszcze tylko jedna sprawa – powiedział Harry Salter. – Jeśli mamy tam iść, to odpowiednio przygotowani. – Spojrzał na Hala Stone'a. – Wie pan, co mam na myśli, profesorze?

– Pamiętacie, że pracowałem dla tajnych służb? Mówi pan o pistolecie w kaburze umieszczonej pod lewą pachą? Mnie on nie przeszkadza.

Dillon roześmiał się.

– Gdyby to widzieli pańscy koledzy z Oxfordu.

– Mało mnie to obchodzi – odparł Hal Stone. – W hotelu mają całkiem niezłe wina.

Ferguson podsumował wynik dyskusji:

– Zatem wszyscy bierzemy broń i idziemy coś zjeść?

– Ty stary draniu – mruknął Dillon. – Byłbyś rozczarowany, gdybyśmy ich tam nie spotkali.

Usiedli na tarasie hotelu „Excelsior”, pod łopoczącą markizą, o którą bębnił przelotny deszczyk. Ferguson, Dillon, Billy oraz jego wuj. Hal Stone postanowił zostać na pokładzie i pilnować „Sultana”. Na stojących w porcie statkach paliły się światła, okna domów również były jasne.

– To wygląda jak w programie telewizyjnym, reklamującym biuro podróży – zauważył Billy.

W tym momencie do restauracji wszedł Paul Raszid z siostrą. Dillon wstał.

– Kate, wyglądasz wspaniale.

– Dillon – powiedziała.

Paul Raszid miał na sobie biały tropikalny garnitur i gwardyjski krawat. Villiers wstał.

– Paul.

Wyciągnął do niego rękę. Raszid uścisnął ją.

– Kate, to pułkownik Tony Villiers. Opowiadałem ci o nim. Wojna w Zatoce.

Villiers był czarująco uprzejmy.

– Wszyscy gwardziści są tacy sami, lady Kate. Wystarczy zobaczyć krawat i zapytać, z którego regimentu.

– Pan, earl i generał Ferguson, wszyscy byliście w grenadierach – przypomniał Dillon.

– Tak samo jak kornet Bronsby – wtrącił Billy. – Nie zapominajmy o nim. Z Królewskiej Gwardii Konnej.

Zapadła cisza. Przerwał ją Raszid.

– Tak mi się zdaje.

– Problem z tymi gwardzistami z konnej polega na tym – zauważył Villiers – że wszyscy patrzą tylko na ich wspaniałe mundury. Nie widzą ich w takich miejscach jak Kosowo, w czołgach i transporterach opancerzonych.

– Wielu z nich zgłasza się na ochotnika do eskadry G z dwudziestego drugiego pułku SAS – dodał Ferguson.

– No tak, oto gwóźdź programu – powiedział Harry. – Ja jestem Harry Salter. Mogę postawić pani drinka?

– Słyszałam o panu, panie Salter – odparła Kate. – Podobno znał pan braci Kray.

– Byli gangsterami, kochaniutka, i ja też. Wszyscy jechaliśmy na tym samym wózku, tylko że ja okazałem się sprytniejszy i skończyłem z nielegalnymi interesami.

– Prawie – dorzucił Billy.

– No dobrze, prawie. Kieliszek szampana, kochana?

– Nie. Z całym szacunkiem, ale są pewne granice – odezwał się Paul Raszid. Odwrócił się do Dillona. – Widziałem cię i wiem, że to ty. Mówię o George'u.

– A mówi ci coś nazwisko Bronsby?

– George był moim bratem.

– Wychodzi na jaw twoje arabskie dziedzictwo.

– Mylisz się, Dillon. Raczej dziedzictwo Dounceyów.

Ferguson wtrącił się do rozmowy.

– Powiem to oficjalnie, milordzie. Niech pan z tym skończy. Sprawy zaszły za daleko. Mam nadzieję, że pan to rozumie.

– Oczywiście, że nie rozumie – powiedział Dillon. – Dlatego nie ma tu Aidana Bella.

– Naprawdę? – Ferguson spojrzał na Raszida. – Czy to prawda?

– Poczekamy, zobaczymy.

– Rozmawiałem o panu z premierem. Był bardzo niezadowolony.

– Prezydent również – dodał Blake Johnson.

– Jaka szkoda. – Uśmiech Raszida przypominał pełen złości grymas. – A ja tak bardzo lubię ich obu. No cóż, będę musiał wymyślić jakiś sposób, żeby sprawić im przyjemność. Dobranoc, panowie.

Paul Raszid wyszedł z trzymającą go pod rękę Kate.

Zapadła głucha cisza, którą przerwał Harry Salter.

– Mam nadzieję, że zrozumieliście wiadomość. Załatwią nas, kiedy tylko stąd wyjdziemy.

– Naprawdę? – Ferguson otworzył jadłospis. – O, mają tu kebab. To brzmi obiecująco. Nie uważacie, że powinniśmy zjeść coś i się odprężyć?

– A potem ramię w ramię ruszyć ciemnymi uliczkami Hazaru? – zapytał Blake.

– No właśnie – odparł Ferguson. – Co jemy?

Gulfstream Raszidów wystartował z Hamanu. Aidan Bell siedział z tyłu, pijąc whisky i czytając angielskie gazety, które samolot przywiózł z Londynu.

Premierzy Rosji i Wielkiej Brytanii zamierzali odbyć wycieczkę Tamizą do Millennium Dome. Dwustronicowy artykuł w „Daily Telegraph" podawał dokładne szczegóły. Nocna podróż po rzece, z wszelkimi szykanami. Największe stacje telewizyjne miały relacjonować przebieg spotkania dwóch przywódców.

Bell usiadł wygodnie i uśmiechnął się pod nosem. Znów powtórzyła się sytuacja z magazynem „Time" i Cazaletem. Chociaż w Nantucket nie poszło jak należy, tym razem będzie inaczej. W Londynie zawsze czuł się jak ryba w wodzie. No dobrze, stracił swoich ludzi, ale do takiej roboty zupełnie wystarczy jeden człowiek.

Poprosił stewarda o następnego drinka i ponownie zaczął czytać artykuł.

Ferguson miał rację. Kebab był doskonały i zjedli go z entuzjazmem.

– No dobrze – powiedział Billy – więc przeżyjemy, w każdym razie ja jestem zdecydowany przeżyć i wrócić w jednym kawałku do Wapping. Co potem, generale? Jakie będzie następne posunięcie Raszida?

– Dillon?

Dillon podniósł głowę.

– Na pewno Bell będzie miał z tym coś wspólnego. Dlatego nie ma go tutaj.

– Widziano go na lotnisku wojskowym w Hamanie, jak wsiadał do gulfstreama Raszidów – powiedział Villiers.

– Miło, że nam o tym mówisz.

– Nie chciałem odbierać wam apetytu na deser.

– No, Sean – zachęcał Blake. – Co on zamierza?

Dillon zapalił papierosa.

– Nie udało mu się z prezydentem. Nie udało mu się z Radą Starszych. Może tym razem wybierze oczywisty cel. Rosyjski premier niebawem ma przybyć do Londynu, prawda, Charles?

– Daj spokój – odparł Ferguson. – Nawet on by tego nie próbował. Przy tych wszystkich środkach bezpieczeństwa? Niemożliwe.

– Tak uważasz? – Blake pokręcił głową. – Zabójca nie powinien przedostać się tak blisko prezydenta, jak zrobił to Bell na Nantucket. Z całym szacunkiem dla mojego dobrego przyjaciela Seana Dillona, gdybym zlecił mu taką robotę, znalazłby jakiś sposób. Tacy jak on zawsze znajdują.

– Dziękuję. Ja też cię kocham – powiedział Dillon. – Jednak masz rację. Raszid bez namysłu zleciłby zabójstwo premiera.

– I na tym ma polegać rola Bella? – zapytał Harry Salter.

– No cóż, w zeszłym roku mieliśmy w Londynie prezydenta. Dwoje lojalistów, mężczyzna i kobieta, próbowali go zabić. Zdołałem ich powstrzymać z pomocą dobrych znajomych, lecz nadal mam po tym blizny.

– Co chcesz powiedzieć? – spytał Blake.

– Chcę powiedzieć, że – używając slangu angielskiego półświatka, który Harry i Billy tak dobrze znają – do takiej roboty nie trzeba gromady cyngli. Wystarczy jeden zamachowiec, najwyżej dwóch.

– To prawda – przytaknął Billy.

– Owszem, ale cały czas przyjmujemy za pewnik, że Raszid nie zrezygnował – przypomniał Ferguson. – Może ma już dość.

– Generale – odparł Dillon – jeśli pan w to wierzy, to jest pan bardzo naiwny.

– No dobrze – ustąpił Ferguson. – Wypijmy kawę i chodźmy.

– Herbatę – poprawił go Dillon. – Jestem Irlandczykiem. Do deszczu pasuje herbata, generale.

Bell zadzwonił do Raszida z pokładu gulfstreama. Paul odebrał telefon w swojej willi.

– Niech pan słucha, mam pomysł.

– Mów.

Bell streścił artykuł w „Telegraph".

– To dobra okazja.

– W porządku, ale nie naszego premiera – powiedział Raszid. – Tylko rosyjskiego. Jak tylko znajdzie się pan w Londynie, proszę się wziąć do roboty. Ja przylecę tam za dzień lub dwa. Przekażę polecenia, żeby udzielono panu wszelkiej potrzebnej pomocy.

– A Dillon i reszta jego kompanii?

– No cóż, mam nadzieję, że po dzisiejszym wieczorze przejdą do historii. – Bell zaśmiał się, a Raszid spytał: – Uważa pan, że to zabawne?

– Tylko myśl o tym, że Sean Dillon miałby przejść do historii. Jeśli on się na kogoś uweźmie, to prześladuje go nawet w snach. Co powiedziawszy, biorę się do roboty.

Na pokładzie „Sultana" Hal Stone stał na rufie w towarzystwie Alego, pijąc zimne piwo. Znów padał deszczyk i powietrze stało się rześkie. Stone był bardzo zadowolony z tej eskapady. Oczywiście, wkrótce będzie musiał wrócić do Cambridge i studentów, zamiast zostać tutaj i zajmować się tym, co najbardziej go interesuje.

Kiedy Ali nalewał sobie drugą szklankę piwa, przy burcie dał się słyszeć cichy plusk. Stone odwrócił się i zobaczył przechodzącego przez reling człowieka z nożem w zębach.

– Sahibie! – krzyknął Ali.

Hal Stone zareagował błyskawicznie, wyciągając browninga z kabury pod lewą pachą. Wycelował i zanim napastnik zdążył chwycić nóż, profesor wpakował mu kulę między oczy. Arab zniknął za burtą. Pojawił się następny. Stone ponownie wypalił, lecz zaciął mu się pistolet. Chwycił Alego za ramię.

– Do kabiny! Szybko.

Pociągnął go za sobą.

Kiedy wpadli do kabiny, zatrzasnął i zaryglował drzwi, po czym rozładował pistolet i wyjął magazynek. Gdy usuwał zacięcie, ktoś zaczął dobijać się do drzwi.

Dillon i pozostali przeszli ulicami Hazaru, przygotowani na atak, który nie nastąpił. Dotarli do portu, wsiedli do motorówki, odcumowali i popłynęli w kierunku „Sultana".

Pod daszkiem na rufie paliło się światło. Wokół panował spokój. Billy wspiął się po drabince, żeby przywiązać motorówkę. Harry poszedł w jego ślady, a za nim Ferguson, Blake i Dillon.

W tym momencie Hal Stone zdołał ponownie załadować browninga i strzelił przez drzwi kajuty. W następnej chwili z ciemności wyskoczyło czterech napastników, którzy zaatakowali grupkę przybyłych.

Dillon strzelił do jednego Araba, lecz ten, w narkotycznym szale, wpadł na niego i razem znaleźli się za burtą. Irlandczyk nabrał powietrza, zanurkował pod „Sultana" i wynurzył się po przeciwnej stronie.

Padło kilka strzałów. Dillon wspiął się po drabince, zaszedł od tyłu przyczajonego Araba z nożem w ręku, chwycił go za głowę i szarpnął. Trzasnęły pękające kręgi i mężczyzna osunął się na pokład.

Cisza. Ktoś spytał po arabsku:

– Hamid, jesteś tam?

– Oczywiście – odpowiedział mu Dillon i wyszedł z cienia.

Złapał tamtego za rękę i złamał ją, a kiedy Arab wypuścił broń, wyrzucił go za burtę. Było cicho.

– To ja! – zawołał Dillon. – Wszyscy cali?

– Na deskach, ale żyję! – odkrzyknął Ferguson.

– Sprawdźmy, czy nic się nie stało profesorowi – powiedział Dillon – a potem lepiej wynośmy się z tego przeklętego kraju.

– Doskonały pomysł – zgodził się Ferguson.

Kilka godzin później Raszid wszedł do salonu willi i powiedział do Kate:

– Nie udało się. Atak na łódź nie powiódł się. Ferguson z Dillonem i pozostałymi właśnie odlecieli do Londynu.

– Co zrobimy? – zapytała Kate Raszid.

– Wrócimy do domu, kochana... i spróbujemy znowu – odparł jej brat.

LONDYN

TAMIZA

12

W Londynie Bell spędzał sporo czasu nad Tamizą, sprawdzając podane przez „Daily Telegraph" informacje o planie wizyty rosyjskiego premiera.

Wybrał się na wycieczkę do Millennium Dome, a potem wrócił na Savoy Pier. Po namyśle powtórzył tę wyprawę następnego dnia. Znalazł drugi artykuł omawiający wizytę, tym razem w „Daily Mail". Uważnie go przeczytał, notując w pamięci fakt, że premierzy mają popłynąć statkiem „Prince Regent", na który żywność dostarczają bracia Orsini.

Siedział przy kominku w salonie domu przy South Audley Street i w jego głowie powoli zaczął formować się plan.

Raszid omówił kilka spraw ze swoimi ludźmi na Ar-Rub al-Chali i razem z Kate odleciał drugim gulfstreamem do Londynu. W Hazarze pozostawiał bardzo skomplikowaną sytuację, z którą Rada Starszych, Amerykanie i Rosjanie nie będą w stanie sobie poradzić bez jego pomocy. Załatwił także formalności związane z przewiezieniem ciała George'a do Londynu.

W Londynie Dillon poszedł odwiedzić Hannah. Siedziała na łóżku, przy którym stał Bellamy, który miał ją zbadać. Dillon przeprosił i wyszedł. Po dłuższej chwili pojawił się profesor.

– Co z nią? – zapytał Sean.

– Lepiej. Nadal nie wiemy, w jakim stopniu wróci do zdrowia, ale pamiętam, że ty nie byłeś w lepszym stanie, kiedy Norah Bell pchnęła cię nożem w plecy. A jednak wyszedłeś z tego.

– Wiem. Kiedy ma pan dobry dzień, jest pan geniuszem.

Bellamy westchnął.

– Ile to już razy ratowałem ci skórę, Sean? Kiedyś może mi się nie udać. Spróbuj dla odmiany trochę na siebie uważać.

Dillon zastanawiał się chwilę, po czym zapukał do drzwi i wszedł do pokoju.

– Jak się czujesz? – zapytał Hannah.

– Kiepsko. Wystarczy jednak, że na ciebie popatrzę, by wiedzieć, że ty też masz za sobą ciężkie dni. Opowiedz mi o tym.

Otworzył okno, zapalił papierosa, usiadł przy łóżku i zaczął opowiadać. Kiedy skończył, powiedziała:

– Z młodego Billy'ego robi się prawdziwa gwiazda.

– Można tak powiedzieć. Bellamy twierdzi, że wyjdziesz z tego.

– Mój ojciec też tak mówi, chociaż może nie będę już mogła biegać rano po Hyde Parku.

– No cóż, nie można mieć wszystkiego.

– Natomiast co do Raszida, to chyba powinieneś przejrzeć gazety. Z nudów czytam tu wszystkie. Spójrz na ten stos. Znajdź „Daily Telegraph". Myślę, że to cię zainteresuje.

Przeczytał artykuł i zamyślił się.

– Pasuje – powiedziała.

– Tak mi się zdaje. Pamiętasz tę historię z Norah Bell?
– Jak mogłabym zapomnieć? Zastrzeliłam ją.
– Ona i jej chłopak bez trudu przeniknęli na pokład statku...
– Jako kelner i kelnerka – przytaknęła Hannah. – Każdy może roznosić kanapki.
Dillon wstał.
– Lepiej już pójdę. Zostań z Bogiem, Hannah.
– Uważaj na siebie, Dillon.
Pojechał taksówką na Cavendish Place do mieszkania Fergusona. Gospodarz wraz z Blakiem siedzieli przy kominku, pogrążeni w rozmowie. Opowiedział im, co odkrył.
– Sugerujesz taki sam scenariusz jak w przypadku Norah Bell? – zapytał Ferguson.
– Hannah tak podejrzewa, i ja też. Co robimy? Zawiadomimy służby specjalne?
– Tę bandę głupków? – prychnął Ferguson. – Tylko spieprzyliby wszystko. Dobrze o tym wiesz, Dillon.
– W porządku, a zatem co robimy?
– Powiem wam coś – rzekł Blake. – Uwielbiam rzeki. Zabierz mnie jutro na wycieczkę statkiem, Sean, i zobaczmy, co się da zrobić.

Następny ranek był typowo londyński. W siąpiącym deszczu Dillon i Blake weszli na pokład „Prince Regenta", zacumowanego przy Savoy Pier. W taki pochmurny ranek, poza sezonem, na pokładzie było nie więcej niż piętnastu pasażerów.
– Piękne miasto – powiedział Blake, gdy stali pod daszkiem na rufie. – Nawet w deszczu.
– Dublin jest niebrzydki i Manhattan też ma coś w sobie, ale owszem, Tamiza jest niezwykła.

– Sean, opowiedz mi o tej historii z Norah Bell.

– Grupa irańskich fundamentalistów, nazywających się Armią Boga, była niezadowolona z umowy, jaką Arafat zawarł z Izraelem w kwestii nowego statusu Palestyny. Nie podobało im się również to, że prezydent przewodniczył spotkaniu w Białym Domu i poparł ustalenia. Tak więc skontaktowali się z egzekutorem lojalistów z Ulsteru i jego dziewczyną, z Michaelem Ahernem i Norah Bell. Z tą parą psychopatów nawet Czerwona Ręka Ulsteru nie chciała mieć nic do czynienia.

– Jakie dali zlecenie?

– Pięć milionów funtów szterlingów za zabicie prezydenta.

– Mój Boże, nic o tym nie słyszałem! – zdumiał się Blake.

– Och, wszystko zostało utajnione. Premier chciał podjąć prezydenta uroczystym przyjęciem koktajlowym na statku, który miał przepłynąć po Tamizie obok gmachów parlamentu i przybić do Westminster Pier. Ahern i Norah dostali się na pokład, udając kelnera i kelnerkę. Wspólnik zostawił im dwa waltery.

– I co się stało?

– No cóż, zdołałem przejrzeć ich plan i w ostatniej chwili wsiadłem na statek z Charlesem i Hannah. Zabiłem Aherna, ale Norah dźgnęła mnie nożem sprężynowym. Hannah ją zastrzeliła. – Dillon zapalił papierosa. – Kiepsko to wyglądało. Przez pewien czas wydawało się, że już po mnie, ale z pomocą przyjaciół doszedłem do siebie.

– Co za historia!

Za ich plecami otworzyły się drzwi i wyszła z nich kelnerka.

– Kawa, panowie, a może chcecie przejść do baru?

– Dla mnie kawa – odparł Blake.

Dillon uśmiechnął się.

– Ja poproszę herbatę i irlandzką lub szkocką whisky, jeśli pani nalega.

Zostali pod daszkiem i młoda kobieta po chwili wróciła z tacą. Dillon powiedział do kelnerki:

– Z pewnością cała załoga jest bardzo podekscytowana nadchodzącym wydarzeniem.

– O tak – odparła. – Właściwie mają panowie szczęście. Dzisiejszy rejs jest ostatni. Potem firma wycofuje „Prince Regenta" ze służby, żeby przygotować go na ten niezwykły wieczór.

– Będzie tu pani wtedy? – zapytał Dillon.

– Obawiam się, że nie. – Była wyraźnie niezadowolona. – Proszę mi wierzyć lub nie, ale statek przejmie załoga złożona z marynarzy marynarki wojennej, a obsługą gości zajmie się jakaś wyspecjalizowana firma. My nawet nie będziemy mogli podejść do naszego statku.

– To okropne – współczuł jej Blake.

– Właśnie, ale takie jest życie. Wybaczcie mi, panowie.

Blake pił kawę, a Dillon wlał whisky do herbaty. Deszcz padał coraz mocniej.

– I co o tym sądzisz? – zapytał Amerykanin.

Dillon westchnął.

– Czuję, że jest w tym coś... ale nie wiem co. Po prostu... Posłuchaj, w swoim czasie robiłem takie rzeczy, prawda? I nigdy nie pozwalałem, aby moja lewica wiedziała, co robi prawica. Starasz się, żeby ludzie spoglądali gdzie indziej i nie zauważyli, co dzieje się pod ich nosem. Tymczasem tutaj... wszystko mamy podane na talerzu.

– Zgadzam się z tym, Dillon, ale nie możemy ryzykować. Musisz ściągnąć jak najwięcej ludzi ze służb specjalnych. Całą uwagę powinniśmy skupić na statku.

Dillon odwrócił się z uśmiechem, który zupełnie go odmienił.

– Jezu, człowieku, masz rację. Całą uwagę. To oczywiste, aż nazbyt oczywiste. Czemu o tym nie pomyślałem?

Wyjął telefon i zadzwonił do Fergusona.

– Blake i ja jesteśmy na „Prince Regencie".

– A więc uważasz, że tam uderzą?

– Nie. Nigdy w życiu. Masz plan wizyty?

– Tak.

– Gdzie zatrzyma się premier?

– W hotelu „Dorchester", w apartamentach na najwyższym piętrze.

– Doskonale – rzekł Dillon. – Jeszcze zadzwonię. – Odwrócił się do Blake'a. – Zatrzyma się na najwyższym piętrze hotelu „Dorchester". Znam ten apartament. Z tarasu jest najlepszy widok na Londyn. Kiedy staniesz tam, widzisz całe miasto – i całe miasto widzi ciebie.

– Myślisz, że tam uderzy?

– Mogę się mylić, lecz gdybym chciał, by moja lewica nie wiedziała, co robi prawica, to zrobiłbym to właśnie tam.

W salonie przy South Audley Street Paul, Kate i Michael siedzieli przy stole, naprzeciw Bella, który wyjawił im swój plan.

– Ferguson będzie zwijał się jak w ukropie. Spodziewa się ataku i do tej pory na pewno doszedł do wniosku, że ten nastąpi podczas przejażdżki statkiem. Tak się jednak nie stanie.

– Co takiego? – zdziwiła się Kate. – Co zatem pan planuje?

– Premier zatrzyma się na najwyższym piętrze hotelu „Dorchester". Niżej jest sporo płaskich dachów, z których można oddać celny strzał. Wejdę na jeden z nich i zrobię to.

Zapadła cisza.

– Pójdę z panem – powiedział Michael.
– Hej, to nie jest konieczne.
– Bell, tym razem chcę mieć pewność. Sam jestem strzelcem wyborowym. Pójdę z panem.
– I ja również – dodał Paul.
– Rany boskie, Paul – powiedziała Kate. – Jak ty to sobie wyobrażasz? Chcecie tam iść we trzech? To zbyt niebezpieczne.
– Nic mnie to nie obchodzi. To nasza ostatnia szansa, Kate. Jeśli tym razem nam się nie uda, to nawet gdyby nas schwytano, nie będzie to miało żadnego znaczenia. – Odwrócił się z uśmiechem i po raz pierwszy przyszło jej do głowy, że brat jest szalony. – To za George'a, Kate. I za naszą matkę. Nie ma odwrotu.

Dillon, Blake i Ferguson odwiedzili hotel „Dorchester". Pokazano im apartament. Widok z tarasu spełniał obietnice prospektu reklamowego. Był nadzwyczajny – i nadzwyczaj niebezpieczny.
– Dillon ma rację – powiedział Ferguson. – Nie można tu umieścić premiera.
– Jak pan to załatwi? – zapytał Blake.
– Nie ma potrzeby robić zamieszania. Po prostu zawiadomię biuro premiera, że nie jestem zadowolony z zabezpieczenia tego obiektu.
– Co oznacza, że nie będziesz musiał niczego wyjaśniać – rzekł Blake.
– Właśnie. Bez hałasu – tak to załatwimy. Będę musiał znowu zobaczyć się z premierem.

Na Downing Street Dillon siedział w daimlerze, podczas gdy Ferguson i Blake udali się do gabinetu premiera.

Zastali go w towarzystwie niskiego mężczyzny po pięćdziesiątce, o siwych włosach i wyglądzie naukowca, którym był kiedyś. Był to Simon Carter, wicedyrektor służb specjalnych i zaprzysięgły wróg Fergusona.

– I co wydarzyło się w Hazarze? – zapytał premier.

– No cóż, przede wszystkim Rada Starszych nadal istnieje, dzięki Dillonowi.

– Nie chcę znowu słuchać o tym irlandzkim wieprzu – powiedział Carter.

– Carter, nie jesteśmy przyjaciółmi, ale dotychczas nigdy nie kwestionowałem twoich osiągnięć. Jeśli pan pozwoli, panie premierze, opowiem o tym, czego dokonał Dillon.

– Oczywiście.

Kiedy skończył, premier rzekł „To nadzwyczajne" i nawet Carter musiał się z nim zgodzić.

– Teraz niech mu pan opowie o Nantucket – powiedział premier.

Tym razem, kiedy Ferguson skończył, Carter rzekł:

– Ta cała przeklęta historia jest wprost niewiarygodna! – Ferguson jeszcze nigdy nie widział go tak wstrząśniętego. – No cóż, to jasne, że będziemy musieli zmienić cały plan wizyty, odwołać dotychczasowe ustalenia.

– Zaczekajcie z tym – powiedział Ferguson. – Mamy lepszy pomysł.

– Jaki? – zapytał premier.

– Musimy zawiadomić rosyjską ochronę, że jest pewien problem. Ja zrobiłbym tak, jeśli wicedyrektor się zgodzi. Niech przygotowania w hotelu „Dorchester" biegną swoim trybem. Przynajmniej na użytek mediów.

– I co dalej?

– Odwołamy przyjęcie koktajlowe na pokładzie „Prince Regenta", ale dopiero w ostatniej chwili. Wystarczy dowolny pretekst. Przenieście kolację do jakiegoś lokalu, na przykład do „Reform Club". Z pewnością przyjmą was tam z otwartymi ramionami.

Premier uśmiechnął się.

– Jestem tego pewny.

– I co dalej? – spytał Carter.

– Po kolacji premier zostanie zawieziony nie do hotelu, ale do ambasady.

– A jak chcecie zakończyć tę sprawę? – zapytał premier.

– Ja zaczekam w hotelu z ludźmi, których sam wybiorę.

– Dillon?

– On i paru jego przyjaciół. Oddali nam ogromne usługi w Hazarze. Mimo to nie będzie pan mógł umieścić ich na noworocznej liście odznaczonych za zasługi, sir.

– Zaczekają tam i zobaczą, czy pojawi się Raszid lub ten cały Bell?

– Tak, sir, ale myślę, że zdołamy osiągnąć coś więcej. Zdaje się, że wicedyrektor domyśla się już, do czego zmierzam.

Carter uśmiechnął się.

– Tak. – Zwrócił się do premiera. – Dotychczas nie mamy niepodważalnego dowodu przeciwko Raszidowi. Jeśli jednak złapiemy tam jego lub któregoś z jego ludzi, przestanie być nietykalny. Po tych wszystkich niepowodzeniach z pewnością zaczął się już denerwować. Poza tym, to my zastawimy teraz pułapkę na niego, a nie odwrotnie.

– Niech tak będzie. – Premier wstał. – Zostawiam sprawę w waszych rękach, panowie. Panie Johnson, porozmawiam z prezydentem.

Na zewnątrz było zimno. Dillon stał przy samochodzie i palił papierosa, patrząc na nadchodzących. Ferguson zapytał Cartera:

– Podrzucić cię?
– Nie, mam ochotę na spacer, a ponadto przejażdżka z kimś, kto kiedyś podłożył bombę na Downing Street, to dla mnie za wiele.
– Ło Jezu, sir – zachwycił się Dillon – strasznieście łaskawi i macie absolutną rację.
Carter roześmiał się mimo woli.
– Niech cię szlag, Dillon. – Ruszył w kierunku bramy zagradzającej wjazd na Downing Street, przystanął i odwrócił się z poważną miną. – Nieważne, kim on jest, nieważne, jakie ma medale i ile pieniędzy. Powstrzymaj go, Dillon.

Ferguson zadzwonił do biura Raszida i dowiedział się, że earl jest nieosiągalny. Sekretarka kazała mu zaczekać i po chwili do telefonu podeszła Kate Raszid.
– Generale Ferguson. Co mogę dla pana zrobić?
– O ósmej wieczorem będę w „Fortepianowym Barze" hotelu „Dorchester".
– I to ma mnie zainteresować?
– Radzę tam przyjść, lady Kate. Razem z earlem – odparł i odłożył słuchawkę.
Zadzwoniła do Paula, który był w „Dauncey Arms" z Bellem i Michaelem. Streściła mu krótką rozmowę z Fergusonem.
– Zajmę się tym, jeśli chcesz – powiedziała.
– Nie – odparł. – Przyjedziemy dziś po południu. Nie zamierzam zostawiać cię samej z Dillonem i Fergusonem. Generała nie wolno lekceważyć. Zobaczymy się później.
Rozłączył się.
– Kłopoty? – zapytał Michael.
– Ferguson chce się ze mną spotkać. Wracamy.
– Wszyscy?

– Och, tak. – Odwrócił się do Bella. – Będziesz musiał uważać. – Uśmiechnął się do Betty Moody. – Wychodzimy, kochana.

Kiedy usiedli w rolls-roysie i podnieśli szybę oddzielającą ich od kierowcy, earl powiedział do Bella:

– Myślę, że będzie lepiej, jeśli nie zatrzymasz się w naszym domu przy South Audley.

– A gdzie pan proponuje?

– Michael ma jacht motorowy, przycumowany przy Hangman's Wharf w Wapping. Tam możesz nocować.

– To brzmi nieźle.

– A to spotkanie, bracie? – zapytał Michael. – Czego chce Ferguson?

– Tego samego co Dillon. Dowiemy się.

Paul Raszid zamknął oczy i wyciągnął się w fotelu.

Tymczasem w Londynie Dillon dokładnie rozważył sytuację. Usiadł przy komputerze Fergusona i przejrzał spis nieruchomości będących własnością Raszidów. Potem zadzwonił do „Dark Mana", do Harry'ego Saltera.

– Harry, to ja. Michael Raszid ma jacht zaparkowany przy Hangman's Wharf w Wapping. Ty wiesz o wszystkim, co dzieje się nad rzeką. Co mi powiesz?

– Niech zajrzę do mojego komputera. – Po chwili Salter ponownie podniósł słuchawkę i rzekł ze śmiechem: – Jacht nazywa się „Hazar".

– No, pasuje. Jest tam Billy?

– Tak.

– Daj mi go na chwilę.

Wyjaśniwszy sytuację, Dillon powiedział:

– Dlatego muszą gdzieś ukryć Bella. Jak uważasz? Przy South Audley czy przy Hangman's Wharf?

– Oba miejsca są jednakowo prawdopodobne – odparł

Billy. – Jeszcze dziś w nocy sprawdzę South Audley. Jeśli niczego nie znajdę, skontroluję „Hazar".

Tego wieczoru Kate Raszid przyszła pierwsza i zastała czekającego na nią Dillona.

– Cóż to? Dziś nie zasiadłeś do fortepianu, Dillon? Jestem rozczarowana. Przyszłam tu tylko po to, żeby posłuchać, jak grasz. Nikt by się nie domyślił, że twoim prawdziwym powołaniem jest zabijanie ludzi.

– Jednak nie torturowanie ich, Kate. Nie zabijam młodych, porządnych ludzi w taki potworny sposób, w jaki zginął Bronsby. Nie zasługiwał na taki los.

– Ja też cię pieprzę – powiedziała.

– Jezusie, dziewczyno, czy tego nauczyli cię w Oxfordzie?

Wbrew sobie uśmiechnęła się szeroko.

– Och, bogate dziewczyny potrafią być gorsze niż ulicznice.

– Podniecające.

Zapalił papierosa, a ona wyjęła mu go z ust i zaciągnęła się.

– Zabiłeś mojego brata.

– Który kazał obedrzeć ze skóry Bronsby'ego, czemu przyglądałaś się z earlem, twoim bratem. Chcesz mi powiedzieć, że aprobujesz jedno, a nienawidzisz drugiego?

Nabrał tchu.

– Nie. Po prostu nienawidzę cię za śmierć George'a.

– Nie, Kate, wcale nie. W tym cały problem.

Obaj Salterowie siedzieli w samochodzie zaparkowanym przy South Audley. Billy zajmował miejsce kierowcy, a Harry czytał „Evening Standard". Oderwał wzrok od gazety i zobaczył wóz wyjeżdżający boczną bramą.

– To Bell i Michael Raszid. Ruszaj, Billy.

Paul Raszid zjawił się w „Fortepianowym Barze" zaraz po Fergusonie i Johnsonie. Wyglądał znakomicie, ze świeżą hazarską opalenizną, w kremowym lnianym garniturze i tradycyjnym gwardyjskim krawacie.

– Generale Ferguson – powiedział, nie wyciągając ręki. – Dillon. Panie Johnson.

Wszyscy usiedli.

– To już koniec – powiedział Ferguson.

– Z czym? – zapytał Raszid.

– Doskonale pan wie. Pomyślałem, że dam panu ostatnią szansę. Niech pan z tym skończy. Do tej pory wszystko uchodziło panu bezkarnie, ale zapewniam, że tym razem będzie inaczej.

Paul powiedział powoli i spokojnie:

– Jestem bardzo przywiązany do mojej rodziny. Miałem brata, którego bardzo kochałem, a który został zabity w Hazarze.

– Za pozwoleniem, milordzie – powiedział Dillon. – Fakt, że robi pan o to tyle hałasu po tym, co zrobiliście z Bronsbym, najlepiej świadczy o tym, że ma pan poważne zaburzenia umysłowe.

Kate chlusnęła mu szampanem w twarz. Dillon oblizał wargi i sięgnął po serwetkę.

– Co za marnotrawstwo.

W tym momencie zadzwonił telefon komórkowy.

– Przepraszam – powiedział Irlandczyk. Wstał i odszedł od stolika. – Tu Dillon.

Mówił Billy.

– Jechaliśmy z Harrym za Michaelem Raszidem i Aidanem Bellem aż do Hangman's Wharf. Weszli na pokład „Hazaru". Zawiadomisz Fergusona?

– Nie, to nasza sprawa. Nie chcę, żeby Ferguson dowiedział się o tym i zabronił nam interweniować. Przyjadę do was za pół godziny.

Wrócił do stolika.

– Przykro mi, ale muszę iść. Jestem pewien, że załatwi pan to sam, generale. Niech im pan powie, że wiemy o ich planach związanych ze statkiem i że je pokrzyżujemy. To już koniec zabawy.

– Będę ci potrzebny? – spytał Blake.

– Nie tym razem, stary. – Dillon spojrzał na Paula Raszida. – Posłuchałbym generała, naprawdę warto.

Potem odwrócił się i wyszedł z uśmiechem.

13

Padało, gdy podjechał na Hangman's Wharf nad Tamizą, gdzie zaparkowali Billy i Harry. Młodszy Salter wysiadł. Otworzył tylne drzwi shoguna i wyjął parasol.

– O, to miłe – powiedział Harry. – Powiem ci coś. I tak nie wyglądasz z nim jak Bogart w „Wielkim śnie".

– No cóż, ale mam spluwę w kieszeni – odparł Billy. – A chyba tylko to się liczy.

Na pokładzie „Hazaru" Bell i Michael Raszid wypili drinka. Michael powiedział:

– Życzę spokojnej nocy. Zobaczymy się jutro i jeśli nic się nie zmieni, jutrzejszy dzień będzie naprawdę wielki.

– Cóż, zobaczymy – odparł Aidan Bell.

Na zewnątrz ktoś zawołał:

– Hej, jesteś tam, Raszid, z tym irlandzkim skurwielem?

Bell i Raszid wyjęli browningi i wyszli na pokład.

Dillon przyjechał piętnaście minut wcześniej, zaparkował samochód za shogunem Billy'ego i Harry'ego, po czym do nich dołączył. Wyjął telefon komórkowy i zadzwonił do Fergusona.

– Gdzie jesteś? – zapytał generał, a gdy Dillon mu wyjaśnił, wyraźnie się zdenerwował. – Rany boskie. Co ty wyprawiasz?

– Nadal nie jesteśmy pewni, gdzie dokonają zamachu, na rzece czy w hotelu, więc przejmuję inicjatywę. Są ze mną Billy i Harry. Bell opuścił dom Raszidów z Michaelem. Pojechali na zacumowaną w Wapping łódź Michaela, a my za nimi.

– Dillon, posłuchaj...

– Nie, niech pan mnie posłucha, generale. Dam panu znać, na czym stoimy.

Rozłączył się.

– Nie był zadowolony? – zapytał Harry.

– Niezbyt. Może będzie, jak zobaczy wyniki.

– Jak to rozegramy? – spytał Billy.

Dillon pokrótce zreferował plan, zdejmując marynarkę i rozwiązując krawat. Następnie wyjął waltera i wsunął go za pasek spodni.

– Tak więc ty wchodzisz frontowym wejściem, Billy, a ty go osłaniasz, Harry.

– Chryste, Dillon, tam jest zimno jak diabli.

– Nie szkodzi. Tylko uważaj na siebie, Billy. Bell to spryciarz.

– Nie martw się o mnie. Myśl o sobie, Dillon. To ty najbardziej ryzykujesz.

– Świetnie. Zaczekajcie, aż ruszę, a potem róbcie swoje.

Harry Salter przyczaił się za pachołkiem cumowniczym. Dillon zszedł po metalowych schodkach i zanurzył się w wodzie. Była piekielnie zimna. Podpłynął do burty „Hazaru", gdzie – zgodnie z przewidywaniami – znalazł drabinkę. W tym momencie Billy Salter krzyknął do Bella.

– Hej, jesteś tam, Raszid, z tym irlandzkim skurwielem?

Bell rzekł do Michaela:

– Ty idź na rufę, ja przypilnuję dziobu. Tylko niczego nie spieprz.

– Dam sobie radę – mruknął Michael.

– No, to do roboty.

Bell zostawił go, wyszedł po schodkach na pokład, a Michael przeszedł korytarzem między kajutami, po czym zajął miejsce w cieniu na rufie.

Potem wszystko potoczyło się błyskawicznie. Schowany za pachołkiem Harry Salter wychylił się, a Aidan Bell strzelił i trafił go w prawe ramię. Uderzenie pocisku odrzuciło Saltera w tył, a Bell na czworakach wygramolił się z dziobu na brzeg i znikł w mroku. Michael Raszid kilkakrotnie wystrzelił do Billy'ego, który odpowiedział ogniem. Raszid cofnął się do relingu, a wtedy Dillon chwycił go za kostki nóg i szarpnął. Raszid wypadł za burtę. Dillon złapał go za kark, zaczerpnął tchu i drugą ręką chwycił się liny kotwicznej. Raszid szarpał się i wierzgał nogami, lecz Irlandczyk trzymał go tak długo, aż Michael przestał się szamotać. Ukryty w mroku Bell zobaczył to i czmychnął.

Dillon puścił ciało i wyszedł na brzeg. Harry chwiał się i pojękiwał, a Billy go podtrzymywał.

– Przykro mi, Dillon, ale zgubiliśmy Bella.

– Michael Raszid nie żyje. – Dillon spojrzał na Harry'ego Saltera. – Wsiadaj do shoguna. Ty prowadzisz, Billy. Zawieź nas do Rosedene. Zadzwonię do Fergusona. Ściągnie profesora Bellamy'ego.

– Dillon, robię się na to za stary – jęknął Harry.

– Bzdura. Dora się tobą zajmie.

Kiedy jechali, zadzwonił do Fergusona.

– Będzie potrzebna ekipa sprzątaczy. Tak, Michael

Raszid. Znajdą go w wodzie przy jego jachcie „Hazar”, przycumowanym do Hangman's Wharf.

– Pewnie to twoja robota.

– Bell postrzelił Harry'ego w ramię i uciekł. Jedziemy do Rosedene. Ściągnij Bellamy'ego. Jeśli jest nieosiągalny, to ojca Hannah. W każdym razie któregoś z najlepszych.

– Załatwione, Dillon, ale byłoby miło, gdybyś czasem mówił mi, co zamierzasz.

W Rosedene zaczekali z Billym na korytarzu. Bellamy operował w Guy's Hospital, ale Arnold Bernstein nie był zajęty.

– Zajrzyjmy do Hannah – zaproponował Dillon.

– Nie mam nic przeciwko temu – odparł Billy.

Siedziała na łóżku, czytając „Evening Standard” i wyglądała o wiele lepiej niż wtedy, kiedy Sean widział ją ostatnio.

– O, dwaj muszkieterowie. Opowiadajcie.

Gdy wysłuchała relacji Dillona, przez chwilę siedziała w ponurym milczeniu.

– I co o tym sądzisz?

Po namyśle odpowiedziała:

– Czy ktoś mówił ci, za co Paul Raszid otrzymał Krzyż Zasługi podczas wojny w Zatoce?

– Nie. Za co?

– No cóż, czytałam akta. Villiers wziął dwa rosyjskie transportery i z dwudziestoma ludźmi pojechał na irackie tyły. Raszid dowodził pododdziałem w drugim pojeździe. Dziesięcioma ludźmi. Jednak popełnił błąd. Źle ocenił sytuację i wezwał Villiersa na nieszyfrowanej częstotliwości. Irakijczycy przechwycili transmisję, namierzyli ich i załatwili cały pododdział.

– Oprócz Raszida? – spytał Billy.

– Właśnie. Kiedy jednak Villiers dotarł do pojazdu Raszida, nie zastał tam nikogo. Tylko siedmiu irackich żołnierzy, martwych i wykastrowanych.

– A Raszid? – zapytał Dillon.

– Dziesięć dni później dotarł do naszych, idąc pieszo.

– Tony Villiers nic mi o tym nie wspominał – zauważył Dillon. – Dlaczego?

Hannah uśmiechnęła się i pokręciła głową.

– To pocieszające, że nawet wielki Sean Dillon może być tak naiwny. Posłuchaj, Raszid jest earlem. A także produktem Sandhurst, grenadierów gwardii i SAS. Czegokolwiek uczą w tych jednostkach, z pewnością nie tego, jak ucinać wrogom fiuty. Dlatego nie wspomina się o tym zdarzeniu.

– Wszystko to jest bardzo interesujące, pani nadinspektor – zauważył Billy – ale jaki z tego wniosek?

– On jest szalony. I głęboko wierzy w to, że musi się zemścić. Dillon zabił dwóch jego braci, więc musi umrzeć. – Spojrzała na Irlandczyka. – Nie ma co do tego wątpliwości, Sean. On nie mógłby znieść myśli, że nadal żyjesz.

– A Kate? – zapytał Dillon.

– Poczucie wspólnoty. Dla arystokratów rodzina jest wszystkim, a w tym przypadku działa nie tylko tradycja Daunceyów, ale i Raszidów. Kate jest świadoma tego dziedzictwa i widzi w Paulu głowę rodziny. Nie może być inaczej.

– A więc nawet ona może pragnąć śmierci Dillona? – zapytał Billy.

– Tak sądzę. – Hannah wyglądała na bardzo zmęczoną. – Muszę odpocząć.

Drzwi otworzyły się i zajrzał przez nie jej ojciec, nadal w chirurgicznym fartuchu.

– Powiedziano mi, że tu jesteście.
– Co z nim? – spytał Salter.
– No cóż, moim zdaniem, w tym wieku twój wuj powinien unikać postrzałów. Co oznacza, że na pewno nam nie umrze. – Podszedł do córki. – Jak się czujesz?
– Zmęczona.
– A więc śpij. – Odwrócił się do gości. – Wyjdźcie.
Zanim Dillon zamknął za sobą drzwi, Hannah zawołała:
– Sean, rany boskie, uważaj na siebie! Paul Raszid ma obsesję na twoim punkcie. Gdyby mógł, wyzwałby cię na pojedynek. To prawo pustyni, Sean. Chce zabić cię osobiście.
Płakała. Arnold Bernstein wypchnął Dillona i Billy'ego za drzwi i powiedział:
– Zaraz wracam, kochanie.
– Strasznie się tym przejmuje – zauważył Dillon. – Dlaczego? Nigdy za mną nie przepadała.
– Jesteś takim mądrym facetem. Musisz nim być, inaczej nie mógłbyś bezkarnie zabijać ludzi przez trzydzieści lat. A jednak, jeśli nie rozumiesz, dlaczego ona płacze, to chyba naprawdę jesteś głupi.
Odszedł, a Billy powiedział:
– Myślę, że chciał powiedzieć, że ona naprawdę cię lubi.
Dillon zapalił papierosa.
– Owszem, takie odniosłem wrażenie. Chodźmy na filiżankę herbaty. Posiedzimy tu trochę, może pozwolą ci później zobaczyć Harry'ego.
Poszli do bufetu, zamówili herbatę u jednej z dziewcząt i usiedli.

Aidan Bell oddalił się od rzeki, dotarł do High Street i złapał taksówkę do Mayfair. Wysiadł kilkaset metrów od willi przy South Audley Street, podszedł do kuchennych drzwi i zadzwonił. Otworzyła mu Kate. Zdziwiła się.

– Co się stało?

– Wszystko. Jest tu twój brat?

– Tak.

– Chodźmy do niego.

Nagle przeraziła się.

– A gdzie Michael?

– Chodźmy.

Zaprowadziła go do wielkiego salonu, gdzie Paul Raszid siedział przy kominku. Podniósł głowę.

– Co ty tu robisz? Gdzie Michael?

– Przykro mi o tym mówić. Dillon pojawił się z Salterami na Hangman's Wharf. Zdołałem postrzelić Harry'ego Saltera w ramię, ale Dillon wypchnął waszego brata za burtę. Zdążyłem jeszcze zobaczyć, jak chwycił go za gardło i wepchnął pod wodę.

Kate ze zduszonym okrzykiem odwróciła się i chwiejnym krokiem wyszła z pokoju. Raszid z kamiennym wyrazem twarzy rzekł:

– Opowiedz mi dokładnie, co się stało.

Dillon i Billy pili herbatę w bufecie, kiedy pojawił się Ferguson.

– Co z Harrym? – zapytał.

– Przeżyje – powiedział Billy. – Mam nadzieję, że pokryjecie koszty leczenia.

Ferguson zaatakował Dillona.

– W co ty pogrywasz, do diabła?

– Nagle uświadomiłem sobie, że nie mamy żadnej pewności. Rozmawialiśmy o „Prince Regencie" oraz o hotelu „Dorchester" i wydawało nam się, że mamy rację, ale wcale nie byliśmy tego pewni. Dlatego Billy z Harrym pojechali za Michaelem Raszidem i Bellem na Hangman's Wharf, gdzie stoi jacht motorowy Raszidów. Potem wszystko potoczyło się błyskawicznie. Bell postrzelił Harry'ego i uciekł. Ja ściągnąłem młodego Raszida za burtę i utopiłem go.

– Kawał drania z ciebie, Dillon.

– No cóż, sam mnie zatrudniłeś do tej roboty. Czy ekipa porządkowa znalazła ciało?

– Nie, zrobiła to policja. Postanowiłem załatwić to w taki sposób. Anonimowy telefon, ktoś spacerował z psem po nabrzeżu i zauważył zwłoki w wodzie.

– A Paul Raszid?

– Na pewno już o tym wie.

– Bell?

– Bóg wie. Można by sądzić, że to już zamknięty rozdział. Skutecznie pokrzyżowałeś wszystkie plany Raszida dotyczące premiera. Jeśli Bell ma choć trochę oleju w głowie, powinien być już daleko stąd.

– Ciekawe – powiedział Billy. – Niedawno odbyliśmy bardzo interesującą rozmowę z panią nadinspektor Bernstein. Nie wiedziałem, że ona ma dyplom z psychologii. Według niej, Paul Raszid to kompletny czubek. Uważa, że honor rodziny wymaga, by zabił Dillona, a siostra earla zapewne jest tego samego zdania.

– Bell – dodał Irlandczyk – też jest szalony, a skoro o tym mowa, to pewnie ja również. Nie liczyłbym na to, że Bell ucieknie. On uwielbia tę grę i jeśli Raszid uzna, że nadal jest mu potrzeby, Bell może sporo zarobić.

W kostnicy Kensington Paul i Kate Raszid czekali w ponurym pomieszczeniu, pomalowanym na zielono i biało. Był tam elektryczny piecyk i okno z widokiem na parking. Po dłuższej chwili przyszedł pielęgniarz. Miał niepewną minę.

– Pan Raszid?

Odpowiedziała mu Kate:

– Mój brat jest earlem Loch Dhu.

– A zmarły Michael Raszid...?

– Także był moim bratem.

– Chcecie go państwo zobaczyć?

– Tak – odparł beznamiętnie Paul Raszid.

– Właśnie zakończono sekcję. Patolog nadal tam jest. To może być dość nieprzyjemny widok. Myślę o młodej damie.

– To bardzo uprzejmie z pana strony, ale musimy go zobaczyć.

– Ponadto, jest tam jeszcze kilku panów. Generał Ferguson z dwoma mężczyznami.

Lady Kate otworzyła usta, lecz brat uspokajająco położył dłoń na jej ramieniu.

– To dobrze. Znamy się.

Zaprowadzono ich do pomalowanej na biało sali sekcyjnej, lśniącej nierdzewną stalą. Patolog sądowy stał razem z Fergusonem, Dillonem i Blakiem. Pielęgniarz podszedł i szepnął mu coś. Patolog odwrócił się.

– Lordzie Loch Dhu, bardzo mi przykro.

– Ferguson – powiedział Raszid – gdybyś był tak uprzejmy i zaczekał na zewnątrz, chętnie zamieniłbym kilka słów.

– Oczywiście – odrzekł Ferguson, bardzo formalnie, w sztywny sposób przyjęty w angielskich wyższych sferach.

Wyszedł z Dillonem i Blakiem. Kate podeszła do stołu operacyjnego, na którym leżało nagie ciało Michaela Raszida, z rzędem szwów na klatce piersiowej i śladem po odpiłowaniu pokrywy czaszki.

– Czy to było konieczne?

– Brat państwa wypadł za burtę jachtu i utonął, ale koroner zażądał przeprowadzenia sekcji. Nie dało się tego uniknąć. Ustaliłem, że przyczyną zgonu było utonięcie i zgodnie z paragrafem trzecim ustawy mogę podpisać upoważnienie do odbioru zwłok. Przesłuchanie sądowe jest niepotrzebne.

– To niezwykle uprzejmie z pana strony – rzekł Paul Raszid. – Teraz ja zajmę się wszystkim.

Kiedy wyszedł z Kate z prosektorium, Ferguson czekał w recepcji, rozmawiając z ubranym w prochowiec i staromodny kapelusik mężczyzną w średnim wieku. Generał skłonił się Raszidom.

– Zobaczymy się na zewnątrz.

Mężczyzna w kapelusiku powiedział:

– Jestem główny inspektor Temple. Nie ma żadnych śladów przemocy. To był nieszczęśliwy wypadek.

– Oczywiście.

– Zakładam, że patolog powiedział państwu, iż w tych okolicznościach, zgodnie z paragrafem trzecim ustawy, może wydać ciało bez przesłuchania przed koronerem?

– Tak.

– Muszę podpisać upoważnienie jako prowadzący śledztwo, co zaraz zrobię. Potem w każdej chwili mogą państwo odebrać ciało.

W oczach miał dziwny błysk, a poza tym, dlaczego główny inspektor miałby prowadzić śledztwo w sprawie topielca? Paul Raszid uśmiechnął się i uścisnął mu dłoń.

– Jest pan bardzo uprzejmy.

Ferguson czekał na chodniku przed kostnicą, obok daimlera, w którym siedział kierowca. Dillon stał w pobliżu z Blakiem, paląc papierosa.

– Nie wiem jak wy, chłopcy – powiedział Ferguson – ale ja jestem głodny jak wilk. W pobliżu hotelu „Dorchester" jest przyjemna włoska restauracja, wiecie która? – Odwrócił się. – A, jesteście.

– Ciało mojego brata George'a zostało właśnie przywiezione z Hazaru. Teraz wydadzą nam Michaela. Pojutrze pochowamy ich w rodzinnym grobowcu w Dauncey. Potem zobaczymy.

– Wasz brat utonął – powiedział mu Ferguson. – Po prostu.

Kate podeszła do Dillona i wymierzyła mu policzek.

– Ty go utopiłeś.

– Jezu, Kate, próbował mnie zabić. Dlaczego wy, Raszidowie, uważacie, że możecie bezkarnie strzelać do innych ludzi?

Odwróciła się bez słowa i usiadła za kierownica mercedesa. Paul Raszid powiedział:

– Moją jest zemsta, Dillon. Powinieneś to zrozumieć. Tak mówi Stary Testament.

– Wiesz co, milordzie, złożę ci propozycję nie do odrzucenia. Będąc równie szalony jak ty, przyjadę na ten podwójny pogrzeb. W ten sposób będziesz mógł spróbować mnie wykończyć, a ja spróbuję załatwić ciebie. Co na to powiesz?

W oczach Raszida pojawił się triumfalny błysk i wydawało się, że zaraz się uśmiechnie. Zamiast tego kiwnął głową i odparł:

– Będę czekał.

Odjechali.

– Jezu – powiedział Ferguson. – Naprawdę go sprowokowałeś.

– Czas zakończyć tę sprawę, generale. – Spojrzał w ślad za odjeżdżającym mercedesem. – Tak czy inaczej.

Gdy Kate prowadziła samochód, jej brat zadzwonił do mieszkania dla służby, które mieściło się za rogiem, niedaleko domu przy South Audley Street. W razie potrzeby korzystał z niego dodatkowy personel. Teraz kwaterował w nim Bell. Kiedy odebrał telefon, Paul Raszid powiedział:

– To ja. Posłuchaj.

Dokładnie opowiedział Bellowi, co zaszło. Kiedy skończył, jego rozmówca rzekł:

– Drań z tego Dillona, ale właśnie dlatego jeszcze żyje.

– Mówisz tak, jakbyś go podziwiał.

– To porządny facet. Mamy wiele wspólnego.

– No cóż, chciałbym sam się nim zająć, ale jeśli możesz mnie wyręczyć, zrób to. Wszyscy trzej jadą teraz do jakiejś włoskiej restauracji w pobliżu hotelu „Dorchester". Samochód Fergusona to daimler, nie pomylisz go z żadnym innym.

– Co mam zrobić?

– Załatwić wszystkich trzech. Przyjdź na South Audley Street. Dostarczę broń. Oczywiście, zapłacę.

– W porządku. Zaraz się zobaczymy.

Raszid rozłączył się. Kate zapytała:

– Mówisz poważnie?

– Kate, powiedziałem im, kiedy odbędzie się pogrzeb, i Dillon zareagował tak, jak oczekiwałem. Tak więc teraz na pewno nie spodziewają się ataku. – Wzruszył ramionami. – Wszystko zależy od Bella. Dam mu jeszcze jedną szansę. Jeśli i tym razem zawiedzie, sam zabiję Dillona. A potem Bella.

Był tak spokojny, tak pewny siebie, że nie mogła się z nim spierać. Pojechali do domu.

Bell zadzwonił do tylnych drzwi domu przy South Audley Street. Raszid wpuścił go i zaprowadził na piętro, gdzie otworzył drzwi do pomieszczenia, które okazało się prawdziwą zbrojownią. Były tam dosłownie wszystkie rodzaje broni, lecz Bell wybrał karabin Armalite.

– To stary znajomy. Składana kolba i tłumik.

– Nie wycisza całkowicie. Co zamierzasz zrobić?

– Przestrzelić tylną oponę i załatwić wszystkich trzech, kiedy wysiądą.

– Niezły plan. Zobaczymy, czy się powiedzie. Cokolwiek się stanie, wróć do mieszkania. Mam nadzieję, że zastanę cię tam w razie potrzeby.

– W porządku. Potrzebna mi jeszcze jakaś mapa.

Bell znalazł stary płaszcz przeciwdeszczowy z głębokimi kieszeniami, pod którym bez trudu schował karabin ze składaną kolbą. Opuścił dom przy South Audley Street i pieszo dotarł do włoskiej restauracji, gdzie zastał zaparkowanego daimlera i siedzącego w nim szofera, czytającego przy zapalonym świetle gazetę.

Obejrzawszy mapę, doszedł do wniosku, że po opuszczeniu restauracji będą musieli skręcić w lewo w Park Lane, a potem wykręcić w Curzon Gate, aby dojechać do Cavendish Place, ulicy, która znajdowała się po drugiej stronie Park Lane. Tak więc Bell przekroczył ulicę, skrył się w mroku Hyde Parku, przeszedł przez ogrodzenie i przyczaił się w cieniu drzewa. Wyjął z kieszeni okulary noktowizyjne, założył je i obserwował drzwi restauracji.

Ferguson, Blake i Dillon wyszli, podeszli do daimlera i wsiedli. Bell wyjął armalite, rozłożył kolbę i czekał. O tak późnej porze na ulicach był niewielki ruch. Daimler wykręcił przy Curzon Gate i przyspieszył. Bell wycelował w tylne koło po stronie pasażera i strzelił. W tej samej chwili Dillon przypadkiem obejrzał się i zobaczył błysk wystrzału. Opona pękła i daimler odbił najpierw w lewo, a potem w prawo, wpadł w poślizg i uderzył kołami w krawężnik. Impet rzucił Fergusona na boczne drzwi, a Blake'a na kolana.

– To snajper – powiedział Dillon. – Widziałem błysk. Sam to załatwię.

Wyturlał się z wozu, przeskoczył przez płot i wyjął waltera. Aidan Bell odwrócił się i zaczął uciekać, przyciskając do piersi karabin. Dillon ruszył w pogoń, trzymając się w cieniu. Po chwili znaleźli się w pobliżu ogromnego, rzęsiście oświetlonego pomnika. Nagle Bell potknął się i upadł, wypuszczając karabin. Dillon zatrzymał się i stał nieruchomo, ciężko dysząc. W dłoni ściskał waltera.

– Aidan, to ty stary byku. Ile zaproponował ci earl?

– Idź do diabła, Dillon.

Bell usiłował podnieść karabin i Dillon, niewiele myśląc, wpakował mu dwie kule w serce.

Dillon wrócił do samochodu. Ferguson podtrzymywał ręką ramię.

– Chyba złamane.

– Co się stało, Sean? – zapytał Blake.

– To był Bell. Zastrzeliłem go. Leży przy pomniku. Nie wiem, jak chce pan to załatwić, generale. Czy chce pan, by sławnego terrorystę IRA znaleziono zastrzelonego w Hyde Parku, czy też mam wezwać ekipę porządkową?

– W tych okolicznościach unikajmy rozgłosu. Zadzwoń, powiedz, gdzie jesteś, i zaczekaj. Ja muszę jechać do Rosedene.

Wysiadł z Blakiem z daimlera i powiedział szoferowi:

– Zadzwoń, żeby odholowali samochód. Pan Johnson mną się zajmie.

Później, siedząc w cieniu pomnika, Dillon wyjął telefon komórkowy i zadzwonił do Paula Raszida.

– To ja, Dillon. Aidan Bell próbował nas załatwić, ale obawiam się, że zawiódł po raz ostatni.

– Zabiłeś go?

– Tak.

– Gdybyś tego nie zrobił, sam bym go zabił.

– To mnie nie dziwi. Nie mogę się doczekać pogrzebu, Raszidzie. Jeśli myślisz, że dasz mi radę, możesz spróbować. To już za długo trwa.

– Ja też nie mogę się tego doczekać, Dillon.

Siedząca naprzeciw brata Kate zapytała:

– Co się stało?

– Bell nie żyje.

– Dillon.

– A któż by?

– Zatem przyjedzie na pogrzeb?

– Jeśli o mnie chodzi, to na jego własny.

Dillon siedział na stopniach pomnika i palił papierosa. Po pewnym czasie przyjechała ekipa sprzątaczy.

DAUNCEY
PLACE

14

Następnego ranka Blake odleciał do Stanów. Bell zniknął z powierzchni ziemi. Dillon udał się z wizytą do Rosedene i zastał Fergusona siedzącego przy łóżku Hannah. Lewą rękę miał na temblaku.

– Jak się masz? – zapytał Dillon.

– Bywało lepiej.

– A ty? – Dillon zwrócił się do Hannah.

– Przeżyję. Generał Ferguson wszystko mi opowiedział. A więc zabiłeś Bella?

– Mówisz to z dezaprobatą. Rany boskie, kobieto, on próbował nas zabić. – Uśmiechnął się. – Ach, rozumiem. Nie jesteś zwolenniczką kary śmierci.

– Niech cię licho, Dillon. Generał wspomniał, że powiedziałeś Raszidowi, iż przyjedziesz na pogrzeb jego braci.

– I co z tego? Sama mówiłaś, że on chce rzucić mi wyzwanie. Dlatego wyzwałem go pierwszy.

– Ty idioto. Mówiłam ci, że to szaleniec. Teraz zrobi wszystko, żeby cię załatwić.

– Ja również mówiłem ci wielokrotnie, Hannah, że też jestem szalony.

– Naprawdę uważam, że nie powinieneś tego robić, Dillon – wtrącił się Ferguson. – To rozkaz.

– A jeśli odmówię jego wykonania – rzekł Dillon – to co zrobisz, zamkniesz mnie w więzieniu Wandsworth?

– Mógłbym to zrobić. Z twoją przeszłością...

– Naprawdę? Kiedy wyciągnąłeś mnie z więzienia w Serbii i szantażem zmusiłeś do współpracy, jedną z najważniejszych części naszej umowy było zatarcie moich dawnych grzechów. Teraz mówisz mi, że tego nie zrobiłeś. Jeśli tak jest naprawdę, to mogę tylko powiedzieć, że Billy Salter może sobie być gangsterem, ale jego poczucie moralności jest znacznie bardziej rozwinięte niż twoje. – Pochylił się i pocałował Hannah w policzek. – Zostań z Bogiem, dziewczyno, i uważaj na siebie. A co do Raszida, który chce mnie zabić... No cóż, brytyjska armia długo próbowała to zrobić, a tymczasem wciąż żyję. – Skinął głową Fergusonowi. – Wiesz, gdzie mnie szukać, gdybyś chciał mnie znaleźć. Jutro pojadę do Dauncey na pogrzeb. Dam Raszidowi szansę.

Odwrócił się i wyszedł.

– Ma pan zamiar go zamknąć, sir? – zapytała Hannah.

– Oczywiście, że nie – westchnął Ferguson. – Chciałem tylko sprawdzić, czy uda mi się odwieść go od tego szalonego zamiaru. Przez ostatnie osiem czy dziewięć lat zdążyłem go polubić. Myślę, że ty też.

– Można tak powiedzieć, sir, ale byłabym wdzięczna, gdyby mu pan o tym nie mówił.

– Oczywiście, moja droga. Czuję się tak okropnie, że chyba pójdę do domu.

Paul i Kate Raszid przyjechali do „Dauncey Arms" w porze lunchu. W gospodzie kłębił się tłum miejscowych. Betty Moody stała za barem. Na powitanie Raszidów wszyscy wstali.

– Przyjaciele, siadajcie – powiedział Paul Raszid. –

Kolejka dla wszystkich. Betty, jestem głodny jak wilk. Podaj, co masz.

Oczy szkliły jej się od łez. Wyciągnęła rękę i pogładziła go po policzku.

– Och, Paul.

Kate zaczęła płakać, a Betty ujęła jej dłoń i wyszła zza baru.

– Przestań pociągać nosem, dziewczyno. Powtarzałam ci to od dziecka. Chodź tu i pomóż mi w kuchni.

Później, kiedy zjedli, otworzyła dla nich butelkę szampana i usiadła z nimi przy kominku.

– Co do jutrzejszego pogrzebu... – zaczęła niepewnie. – Niewiele mi powiedzieliście.

– Msza odbędzie się o wpół do dwunastej. Tym razem będzie to skromna uroczystość, Betty. Nie rozsyłaliśmy zawiadomień, tak jak ostatnim razem. Oczywiście, wszyscy mieszkańcy wioski będą mile widziani. Możesz przygotować bufet tutaj, w pubie. Nie chcemy pompy. Po pogrzebie damy wolne służbie.

– Jak sobie życzysz, Paul. Zostaw to mnie – powiedziała Betty i odeszła do swoich zajęć.

– Czy on przyjedzie? – zapytała Kate.

– Och, przyjedzie – odparł jej brat. – Nigdy w życiu niczego nie byłem bardziej pewny.

Dillon odwiedził Harry'ego w Rosedene i znalazł go siedzącego na łóżku pod troskliwym okiem Dory, barmanki pełniącej teraz obowiązki pielęgniarki.

– Uważaj – poradził jej Dillon. – Jeśli będziesz za dobrze się nim opiekować, stary drań może zechce cię poślubić.

Popatrzyła na niego z błyskiem w oczach.

– Nie podsuwaj jej takich pomysłów! – zdenerwował

się Harry. Klepnął Dorę po pupie. – Bądź dobrą dziewczyną i znajdź mi butelkę whisky.

Gdy zostali sami, Dillon powiedział:

– Możesz sobie myśleć, że masz ją w garści, ale to ona złapała ciebie, Harry. Jesteś szczęściarzem. To naprawdę bardzo porządna babka i dałaby się za ciebie posiekać.

– Nie musisz mi mówić.

– No to traktuj ją jak należy.

Salter przyjrzał mu się uważnie.

– Dlaczego mam wrażenie, że nie jesteś w najlepszym humorze?

– No cóż, wszyscy miewamy wzloty i upadki. Widziałem się z Hannah. Wiesz, jak to jest. Ona mnie zarazem kocha i nienawidzi, a do tego boi się, że zginę.

– Zamierzasz popełnić jakieś głupstwo – domyślił się Harry. – Chryste, Dillon, ty naprawdę wybierasz się jutro na ten podwójny pogrzeb!

– Rzuciłem mu wyzwanie, Harry. On chce się ze mną zmierzyć. Zabiłem mu dwóch braci. Ma do tego prawo.

– Wiesz co, stary koniu, odnoszę wrażenie, że zamierzasz popełnić samobójstwo. Chcesz zabrać Billy'ego? Nie masz nikogo innego.

– Nie. Wpadnę do „Dark Mana", żeby coś zjeść w towarzystwie Billy'ego, a nie po to, by prosić go o pomoc. On dosyć już zrobił. Wiesz co, Harry, on uważa się za mojego młodszego brata i w pewnym sensie nim jest. Nie zamierzam go narażać. Nie poproszę go, żeby pojechał ze mną jutro do Dauncey. Z tego co wiem, earl może spuścić na nas swoje psy.

– A więc planujesz zajechać tam w czarnym garniturze i stanąć wśród wiernych w kościółku?

– Tak trzeba, Harry.

– Cóż, to miłe, no nie? Kiedy już miałem uznać cię za

starszego brata Billy'ego, ty chcesz położyć głowę pod topór.

Dillon wstał.

– Harry, jesteś dusza chłop i Billy też, ale przychodzi taki czas...

– Tak, wiem. Kiedy mężczyzna musi zrobić, co do niego należy. John Wayne, niech spoczywa w spokoju.

Dora wróciła z butelką szkockiej i Harry powiedział:

– Wynoś się, Dillon. Denerwujesz mnie.

Po wyjściu Irlandczyka Salter senior siedział przez chwilę, machinalnie gładząc pośladek Dory, po czym podniósł słuchawkę stojącego przy łóżku aparatu i wystukał numer telefonu komórkowego Billy'ego. Złapał go w biurze na Cable Wharf.

– Posłuchaj, Dillon właśnie stąd wyszedł. Powiedział, że zamierza wpaść do „Dark Mana" i zjeść z tobą lunch. Jak wiesz, Raszid jutro chowa w Dauncey swoich braci, a Dillon postanowił pojechać na pogrzeb i zmierzyć się z Paulem. Szykuje się coś w rodzaju pojedynku. Co więcej, chce pojechać sam.

– Nie ma mowy – odparł Billy. – Jeśli on jedzie, to ja z nim. Wiem, że może tego nie pochwalasz.

– Prawdę mówiąc, Billy, jestem z ciebie dumny, ale nie mów mu tego. Powiedz tylko, że jest głupi. Pozwolimy mu pojechać i dołączymy do niego później.

– Czy się nie przesłyszałem? Powiedziałeś „my"?

– Billy, nawet z Dorą nie mogę tu tkwić w nieskończoność. Przynajmniej dam wam moralne wsparcie. Pojedziemy za Dillonem.

W lokalu „Dark Man" musiało być tłoczno, na co wskazywały liczne samochody zaparkowane przy Cable Wharf. Znowu padało, jak zwykle o tej porze roku.

W bagażniku mini coopera Dillon znalazł stary parasol, rozłożył go, zapalił papierosa i przez chwilę spacerował po chodniku.

Ogarnęła go dziwna melancholia, poczucie, że coś się kończy. Nie żywił nienawiści do Paula Raszida, a Kate – jak większość mężczyzn – darzył ogromnym podziwem. Przez te wszystkie lata zabił wielu ludzi. Taki już był. Usprawiedliwiał to śmiercią ojca, który zginął na ulicy Belfastu podczas przypadkowej strzelaniny między członkami IRA a brytyjskimi spadochroniarzami. A jeśli to naprawdę leżało w jego charakterze, jeżeli śmierć ojca była tylko wymówką? O czym by to świadczyło? Wprawdzie twierdził, że na swój sposób był tylko żołnierzem, ale czy mógł potępiać Raszida, nie potępiając samego siebie? Jedyne, co ich od siebie różniło, to okropna śmierć Bronsby'ego. Dillon nigdy by się nie posunął do czegoś podobnego.

Zapalił następnego papierosa, zasępiony i przygnębiony.

– Och, do diabła z tym. Co we mnie wstąpiło?

W tym momencie ktoś zawołał go od drzwi pubu. Dillon spojrzał tam i zobaczył nadbiegającego Billy'ego. Młodszy Salter wskoczył pod parasol.

– Co próbujesz zrobić, utopić się?

– Coś w tym stylu.

– Och, rozumiem, wstałeś dziś lewą nogą. Hej, ludzie, ogólne wyrazy współczucia dla Seana Dillona.

– Idź do diabła.

– No tak, najwyraźniej musisz coś zjeść i wypić. Chcę powiedzieć, że masz już swoje lata. Nie można oczekiwać, że po tym wszystkim, przez co przeszliśmy w ciągu kilku ostatnich tygodni, będziesz równie świeży jak ja.

Dillon parsknął śmiechem.

– Ty bezczelny szczeniaku.

– Tak już lepiej.

Billy pierwszy wszedł do zatłoczonego baru. Wraz z Dillonem podeszli do ostatniego stolika, przy którym siedzieli Baxter i Hall.

– Spadajcie, mamy coś do omówienia – polecił Billy. – Powiedzcie małej za barem, żeby przyniosła nam butelkę bollingera, dwa kieliszki i trochę irlandzkiego gulaszu.

– Co jest, dzień dobroci dla Dillona?

– Daj spokój. Zabiłeś Raszidowi obu braci, a teraz on chce ci obciąć jaja i spodziewa się, że jutro przyjedziesz do Dauncey i z nim się zmierzysz. Nadinspektor Bernstein mówiła, że z jakiegoś powodu chcesz dać mu szansę. A podobno to on jest stuknięty.

– Jak już mówiłem, Billy, może ja też.

– Guzik prawda. Jeszcze nie zdarzyło się, żebyś nie wiedział, co robisz. Znasz kilka języków, umiesz pilotować każdy samolot, jesteś doświadczonym nurkiem. Harry opowiedział mi o wszystkim. To ty rzuciłeś wyzwanie Raszidowi, a teraz wpadłeś na głupi pomysł, że pojedziesz tam sam. Cóż, nie zamierzam na to pozwolić. Powiedziałem to Harry'emu.

– Na pewno się ucieszył.

– Zdziwisz się, ale powiedział, że nie będziemy cię zatrzymywać, a potem pojedziemy za tobą. Wspominał o „moralnym wsparciu".

Jedna z młodych barmanek przyniosła kubełek z lodem, butelkę bollingera i kieliszki. Dillon wskazał na Baxtera i Halla, pijących piwo przy barze.

– Po kieliszku dla tych dwóch.

– Jak zwykle zachowujesz rozsądek – zauważył Billy.

– Zaraz ci udowodnię, jaki jestem rozsądny. Postaram się spełnić twoje życzenie, Billy. Możesz pójść za mną ulicą, jak na kiepskim filmie. Dam ci waltera i kamizelkę kuloodporną, ponieważ on nie żartuje, Billy. Jak powiedziała Hannah Bernstein, nie może pozwolić mi żyć. I z rozkoszą zastrzeli także ciebie.

– Wiem – odparł Salter – ale zamierzam cię osłaniać.

– Jeszcze jedno, Billy. Ferguson zna moje plany, ale nie jest w stanie mnie powstrzymać. Inaczej rzecz ma się z Harrym. Żartuje na temat swojego wieku, lecz naprawdę się starzeje. Nie chcę, żeby się o ciebie martwił.

– W takim razie co robimy?

– Dzisiaj późnym wieczorem zadzwonisz do niego do Rosedene i powiesz, że Ferguson zapuszkował mnie, żebym nie zrobił czegoś głupiego. Rano we dwóch pojedziemy do Dauncey. Ty podstawisz limuzynę. Msza zaczyna się o jedenastej trzydzieści. Zgadzasz się?

– On nigdy ci tego nie wybaczy, ale tak, zgadzam się.

Dillon podniósł kieliszek.

– *Cheers*, jak powiadają w East Endzie. Aha, Billy, postaraj się o czarny garnitur. Ja też taki włożę.

– Mamy wyglądać jak grabarze?

– Właśnie.

– Wspaniale. – Kelnerka podała irlandzki gulasz. – Nie mogę się doczekać – rzekł Billy, po czym przywołał Joego Baxtera i Sama Halla. – Joe, na rano potrzebuję jaguara. Wybieramy się z Dillonem na wycieczkę na wieś. Do Dauncey, posiadłości Raszida, więc włóż uniform szofera. Jedziemy na pogrzeb.

– Co każesz, Billy.

Salter spojrzał na Halla.

– Będziesz musiał zastąpić mnie w magazynie i zająć się transportem czarnorynkowych papierosów z Calais. I jeszcze jedno. Nie chcę, żeby Harry o tym wiedział, bo zamierzał jechać z nami, więc siedźcie cicho. Już dostał jedną kulę.

– Nie można dopuścić, żeby znów oberwał – dorzucił Dillon.

Baxter skinął głową.

– A więc mam robić za szofera ze spluwą w schowku na rękawiczki?

– No właśnie. Ten Raszid to niebezpieczny typ. Znacie tę historię, chłopcy. No cóż, Joe, jeśli nie chcesz... – zaczął Billy.

Baxter rozzłościł się.

– Nie obrażaj mnie, Billy. Jesteśmy razem, od kiedy skończyliśmy siedemnaście lat.

Billy zajadał irlandzki gulasz.

– Gdyby Harry pytał o mnie, powiesz, że wezwano mnie do Southampton w sprawie dostawy gorzały.

– On dostanie szału, kiedy dowie się prawdy – zauważył Hall.

– Och, już nieraz dostawał szału. Dora go uspokoi, sprawi, że poczuje się prawdziwym mężczyzną. No, nie zawiedźcie mnie. Dalej, zamówcie coś do zjedzenia.

– A więc znowu ruszamy do boju? – zapytał Dillon.

– Zdecydowanie – uśmiechnął się Billy. – Zmieniłeś moje życie, Dillon, udowodniłeś, że mam rozum. Kim byłem przedtem? Drobnym przestępcą, trzeciorzędnym gangsterem. A ilu ludzi zabiłem w trakcie tych awantur, w jakie mnie wpakowałeś? Jak już mówiłem, życie niepoddane próbie jest nic niewarte. Później jakoś ugłaskam Harry'ego.

– Na pewno ci powie, że jesteś kawał drania.

– Mam świetny pomysł. Słyszałem, że w teatrze Old Red Lion wystawiają sztukę o IRA, napisaną przez Brendana Behana i zatytułowaną „Zakładnik".

– Arcydzieło.

– Doskonale. Chodźmy ją zobaczyć. Rozerwiemy się trochę... i może dowiem się czegoś o tobie.

– Zgoda – powiedział Dillon.

Spektakl odniósł sukces. Po powrocie do baru dyskutowali i spierali się o tezy wysunięte przez Behana. Joe Baxter, który zawiózł ich do Red Old Lion i został zmuszony do obejrzenia sztuki, przysłuchiwał się im z rozbawieniem.

Później podwieźli Dillona na Stable Mews, a następnie Billy zatelefonował do Harry'ego.

– Mam nadzieję, że nie dzwonię za późno?

– I tak nie mogę zasnąć. Za długo leżę w łóżku. Co u Dillona? Spodziewałem się, że zadzwonisz wcześniej.

– Cóż, zjedliśmy razem lunch w pubie. Przyjechał bardzo przygnębiony, tak jak mówiłeś, ale wieczorem sytuacja uległa zmianie.

– Jakiej zmianie?

– Ferguson zabronił mu jechać na pogrzeb, a kiedy Dillon nie chciał go posłuchać, generał przysłał po niego Wydział Specjalny Scotland Yardu. Przylepił mu jakieś dawne grzeszki z IRA.

– Przecież obiecał zniszczyć kartotekę, kiedy Dillon zgodził się dla niego pracować.

– No cóż, w każdym razie zapuszkowali go. – Billy coraz bardziej przekonywał się do wymyślonej na użytek Harry'ego historyjki. – Zawieźli go do West End Central. Przynajmniej mają tam porządne cele.

– To draństwo – wściekł się Harry. – Ferguson dał słowo Dillonowi, kiedy wyciągnął go z serbskiego więzienia.

– Owszem, ale generał należy do wyższych sfer – odparł Billy. – To przez cały ten system klasowy, Harry. Ten kraj wciąż cierpi na tę przypadłość.

– I to my niby jesteśmy tymi złymi facetami? – pienił się Harry. – Poczekaj, aż znowu zobaczę się z Fergusonem. A miałem go za porządnego Anglika.

– Harry, podskoczy ci ciśnienie. Lepiej się prześpij. Zatelefonuję jutro.

Następnego ranka w mieszkaniu przy Stable Mews Dillon włożył – tak jak zapowiedział Billy'emu – elegancki czarny garnitur, białą koszulę i czarny krawat.

– Jezusie, synu – powiedział, przeglądając się w lustrze. – Wyglądasz, jakbyś ubiegał się o rolę mafijnego egzekutora w „Ojcu chrzestnym cztery". – Zmarszczył brwi i dodał cicho: – Czyżby to wszystko było zaledwie teatrem ulicznym? Czy przez te wszystkie lata wciąż powtarzam to pierwsze przedstawienie z Belfastu?

Ktoś zadzwonił do drzwi. Dillon poszedł do holu, wziął czarny płaszcz od Armaniego i torbę z bronią. Otworzył drzwi i zobaczył Billy'ego, nadzwyczaj eleganckiego w czarnym garniturze i krawacie. Baxter w uniformie szofera stał przy jaguarze.

– Hej, wspaniale wyglądasz! – pochwalił Billy.

Dillon otworzył torbę i wyjął tytanową kamizelkę.

– Jak wiesz, to zatrzyma pocisk z czterdziestkipiątki, wystrzelony z przystawienia. Ja już mam taką samą pod koszulą. Idź do garderoby i załóż ją, Billy. Zaczekamy.

– Jak każesz.

Billy wszedł do środka, a Dillon skinął na Baxtera.

– Otwórz bagażnik, Joe.

Dillon włożył do bagażnika płaszcz oraz torbę. Rozpiął ją i wybrał browninga z tłumikiem.

– Przy odrobinie szczęścia nie będziesz tego potrzebował, Joe, ale z drugiej strony...

Baxter uśmiechnął się chłodno.

– Nigdy nie wiadomo?

Otworzył drzwi samochodu, sięgnął do schowka na

rękawiczki i wsunął tam pistolet. Po chwili Billy wyszedł na ulicę. Przez ramię miał przewieszony płaszcz.

– Domyśliłem się, że ten jest dla mnie.

– Może padać deszcz.

– Świetnie. Wiesz, w tych wielkich kieszeniach śmiało zmieści się uzi. Ponadto, lubię spacery w deszczu. Człowiek ma czas na obcowanie sam ze sobą i możliwość odcięcia się od wszystkiego. Jedźmy.

Zajęli miejsca na tylnym siedzeniu i jaguar ruszył.

Harry siedział w łóżku, jedząc jajka na miękko i tosty. Miał za sobą bezsenną noc, a teraz był już późny ranek.

– Połącz mnie z biurem – zwrócił się do nie odstępującej go Dory. – Chcę pogadać z Billym.

Zrobiła, co kazał, i odwróciła się ze słuchawką w dłoni.

– Billy'ego nie ma. Odebrał Sam Hall.

Harry sięgnął po słuchawkę.

– Gdzie on jest, Sam?

– Był jakiś problem z dostawą gorzały i musiał pojechać do Southampton.

– Mógł mnie o tym uprzedzić. Zadzwonię do niego na komórkę.

Bliski paniki Hall improwizował:

– Och, widzę, że zostawił komórkę na biurku, Harry.

– Głupi szczeniak. No dobrze, jeśli się odezwie, powiedz mu, żeby do mnie zatelefonował.

Paul Raszid, jako major rezerwy, miał prawo nosić gwardyjski mundur przy uroczystych okazjach. Kiedy przed lustrem zapinał guziki marynarki, błysnął rząd medali. Musiał przyznać, że wygląda to imponująco. Earl wziął czapkę i wyszedł.

Nad wielką salą w Dauncey Place, na wysokości piętra biegła owalna galeria, z której wchodziło się do pokoi. Na dół, do wielkiej sali wiodły szerokie schody, a spiralne schodki prowadziły w górę, na wznoszącą się nad domem wieżę zegarową. Paul poprawił czapkę, zszedł na dół i zastał Kate przy płonącym kominku. Betty Moody stała przy niej, ubrana w czarną garsonkę. Podeszła do niego, wspięła się na palce i pocałowała go w policzek.

– Och, Paul, wyglądasz cudownie.

– No cóż, przynajmniej tyle mogę dla nich zrobić. Pierwszy spadochronowy chciał przysłać dla George'a kompanię honorową i trębacza, ale, tak jak ci powiedziałem, Kate i ja chcemy, żeby tym razem była to skromna uroczystość.

– Przyszłam tylko po ostatnie wskazówki. Bufet w pubie jest przygotowany, szampan też. Bo zamierzacie podać szampana?

– Wzniesiemy toast za ich życie – odparł Paul Raszid.

– A później? Mówiłeś, że nie życzysz sobie widzieć tu nikogo, nawet służby.

– Kate i ja przywitamy się z wszystkimi i wcześnie opuścimy pub. Pragniemy spokoju, chcemy zostać sami.

– Oczywiście. Pójdę już. Zobaczymy się później.

Wielkie drzwi zamknęły się ze szczękiem. Kate miała na sobie czarny żakiet narzucony na czarny spodnium. Na szyi połyskiwał złoty łańcuszek, w uszach lśniły brylantowe kolczyki.

– Ładnie wyglądasz – powiedział.

– Ty wyglądasz wspaniale. Jak prawdziwy bohater.

– Miło byłoby tak pomyśleć, siostrzyczko. Możemy iść?

Wzięli z garażu range rovera i Kate usiadła za kierownicą. Przejechali po długim podjeździe, skręcili do wioski i zaparkowali przy żywopłocie. Stało tam już kilka samochodów.

Przeszli do drzwi „Dauncey Arms", mijając po drodze jaguara i stojącego przy nim Joego Baxtera w uniformie szofera. W gospodzie było mnóstwo ludzi, przeważnie miejscowych, a wśród nich Dillon i Billy. Stanęli przy kominku, ubrani w czarne garnitury i prochowce.

Kate zaparło dech.

– Przyjechał.

– A myślałaś, że nie przyjedzie?

Raszid przepychał się z siostrą przez tłum, ściskając dłonie i dziękując ludziom za przybycie.

– Jestem rad, że dotarłeś, Dillon.

– Wspaniała uroczystość – odparł Irlandczyk.

– Cieszę się, że ci się podoba. Te płaszcze są piękne. To zdumiewające, co mieści się w tych wielkich kieszeniach. Bardzo ładnie z twojej strony, że przyjechałeś z przyjacielem.

– A co zamierzasz zrobić, zrewanżować mi się za Ramę? Załatwić tak samo jak Bronsby'ego? – Billy pokręcił głową. – Tylko spróbuj, a zobaczysz.

– Paul, chodźmy – powiedziała Kate.

Betty podeszła do nich, marszcząc brwi.

– Czy trzeba w czymś pomóc?

– Skądże. Ci dwaj panowie to moi dobrzy znajomi – uśmiechnął się Raszid. – Bufet i szampan po mszy.

Betty odwróciła się i odeszła.

– A potem oczekuję was w Dauncey Place, jeśli łaska.

– Ja przyjdę z cholerną przyjemnością – powiedział mu Billy.

– Wspaniale. Nie mogę się doczekać – odparł Paul, po czym zwrócił się do siostry: – Chodź, Kate.

Ludzie zaczęli schodzić się do kościoła już od jedenastej. Mimo to tym razem na zewnątrz stało tylko kilka limuzyn, nie tak jak na pogrzebie starego earla i lady Kate. Raszid zażyczył sobie cichy pogrzeb bez udziału wielkich i możnych tego świata. Mimo to jeden z najważniejszych londyńskich imamów zgodził się wziąć udział w uroczystości i wystąpić obok pastora, co było dowodem liberalnych tendencji islamu, rzadko docenianych przez postronnych.

Dillon wszedł do środka razem z Billym. Ludzie siadali lub przechadzali się po kościele, podziwiając marmurowe posągi dawno zmarłych arystokratów. Billy ruszył naprzód, dołączając do tłumu. Nagle przystanął i skinął na Dillona.

– Spójrz na tego starego piernika, sir Paula Daunceya. Tu jest napisane, że umarł w tysiąc pięćset dziesiątym.

– To pierwszy Paul – rzekł Dillon. – Ten, który walczył z Ryszardem Trzecim pod Bosworth, co nie wyszło mu na zdrowie. Musiał uciekać do Francji i ułaskawił go dopiero nowy król, Henryk Tudor.

– Skąd o tym wiesz?

– Sprawdziłem, Billy. Wszystko jest w „Debrett's" – to biblia angielskiej arystokracji.

Billy przyjrzał się sir Paulowi Daunceyowi.

– Nawet podobny do Raszida.

– Tak to już bywa w rodzinie, Billy.

– Chcę powiedzieć, że wygląda na niezłego skurwiela.

– Raczej na wojownika, którym rzeczywiście był. – Wzruszył ramionami. – Raszid też nim jest. A szczerze mówiąc, ty także. Pamiętasz, co ci kiedyś mówiłem? Są tacy ludzie, którzy dokonują czynów, na jakie zwykły człowiek nigdy nie byłby w stanie się zdobyć. Zazwyczaj są to różnego rodzaju żołnierze.

– Tacy ja ty i ja.

– W pewnym sensie – uśmiechnął się Dillon. – A teraz stańmy z tyłu.

Wszyscy obecni wstali, organista zaczął grać i major Paul Raszid, earl Loch Dhu, oraz lady Kate Raszid weszli głównym wejściem, a za nimi grabarze niosący dwie trumny, jedną za drugą. Obie były okryte brytyjskimi flagami. Na trumnie George'a leżał czerwony beret spadochroniarza, a trumnę Michaela zdobiła czapka, którą nosił jako absolwent Sandhurst. Na obu położono również ceremonialne dżambije beduińskich wodzów. Pastor wyszedł z zakrystii w towarzystwie imama.

Zapadła cisza. Pastor rozpoczął uroczystość słowami:

– Przybyliśmy tu, aby uczcić pamięć dwóch młodych ludzi. George i Michael byli Raszidami, ale także Dewnceyami, tak więc należeli do rodziny związanej od piętnastego wieku z naszą wioską.

Zaczęła się msza.

Później, w siąpiącym deszczu, przeniesiono trumny do rodzinnego grobowca. Żałobnicy podążyli za nimi, a jeden z grabarzy trzymał parasol nad Paulem i Kate. Baxter zaparkował jaguara przy bramie cmentarza. Billy podbiegł do samochodu i wrócił z parasolem.

– Jezu, nigdy nie widziałem tylu parasoli.

– Życie naśladuje sztukę. Przydałby mi się papieros i duża whisky, w tej kolejności.

– A więc skorzystamy z bufetu w pubie?

– Czemu nie? Jeśli powiedziało się a, trzeba powiedzieć i b.

Odwrócił się i odszedł, a Billy ruszył za nim.

15

Jaguar zatrzymał się i pasażerowie wysiedli. Kiedy Joe Baxter poszedł w ich ślady, Dillon powiedział:

– Przejdziemy się. Zaczekaj na parkingu, Joe.

Baxter zerknął na Billy'ego.

– Rób, co mówi, Joe.

– Jak każesz, Billy.

Wsiadł i odjechał. Dillon zapalił papierosa.

– Nie wzięliśmy sprzętu – zauważył Billy.

– Jeszcze mamy czas, mnóstwo czasu. Przespacerujmy się.

Poszli w kierunku gospody, chowając się pod trzymanym przez Billy'ego parasolem.

W Londynie Harry Salter zadzwonił do Sama Halla, ale nie zdołał się z nim skontaktować. Młoda sekretarka poinformowała go, że Sam jest gdzieś w magazynach nad rzeką i sprawdza dostawę. W rzeczywistości Sam przezornie stał się nieosiągalny.

Poirytowany Harry powiedział Dorze, żeby wezwała samochód z kierowcą i pomogła mu się ubrać. Musiała mu pomóc, ponieważ miał rękę na temblaku. Kiedy skończyła, do pokoju zajrzała przełożona pielęgniarek.

– Rezygnuje pan z leczenia, panie Salter?

– Nie, po prostu idę do domu. Wrócę tu na badania kontrolne, proszę tylko powiedzieć, kiedy mam się zjawić.

– Hmm, muszę zapytać profesora Bernsteina. Właśnie bada generała Fergusona, ale to chyba nie potrwa długo.

– Chce pani powiedzieć, że Ferguson jest tutaj?

– Oczywiście.

– Proszę mnie do niego zaprowadzić.

Po chwili siedział na korytarzu, pieniąc się ze złości. Drzwi gabinetu otworzyły się i wyszedł z nich Ferguson, a za nim Arnold Bernstein z lekarską torbą w ręku.

– O, Harry! – powiedział Ferguson.

– Bez poufałości, stary draniu.

– Nie przypominam sobie, żebym pozwolił panu wstać z łóżka, panie Salter – zauważył Bernstein.

– Ale wstałem i wychodzę. Podpiszę wszystko, co trzeba, chcę tylko zamienić słowo z jego wysokością.

– O rany, znów kłopoty? – westchnął Bernstein. – Pójdę zobaczyć się z córką. Zaraz wracam i nalegam, żeby posłuchał pan mojej rady. Powinien pan pozostać w szpitalu.

Gdy tylko lekarz odszedł, Harry zaatakował Fergusona.

– Ty draniu, zapuszkowałeś Dillona!

– Do diabła, o czym ty mówisz? – zdziwił się generał.

– Billy powiedział mi o tym wczoraj wieczorem. Kazałeś Wydziałowi Specjalnemu Scotland Yardy zgarnąć go za dawne grzechy, które obiecałeś puścić w niepamięć. Zamknąłeś go w West End Central, żeby nie pojechał na pogrzeb i nie zmierzył się z Raszidem.

– Zabroniłem Dillonowi jechać – przyznał generał – ale nie posłuchał. Mówisz, że tak powiedział ci Billy?

– Tak.

– Gdzie on teraz jest? Zadzwoń do niego.

– Jest nieosiągalny. Załatwia coś w Southampton. – Nagle Harry domyślił się. – O Boże, okłamał mnie. Dillon jednak pojechał na pogrzeb.

– I myślę, że Billy mu towarzyszy. To jedyne wyjaśnienie jego nagłej nieobecności.

– Wiedziałem, że chciał jechać, i powiedziałem mu, że wybierzemy się razem.

– No cóż, to wiele wyjaśnia. Jesteś ranny. Chciał trzymać cię od tego z daleka. Rozumiesz, to spotkanie oko w oko z Raszidem zapewne będzie przypominało spaghetti western.

– Zamierzasz do tego dopuścić? Jesteś gorszy ode mnie.

– Ze względu na nasze powiązania w ostatnich latach – rzekł Ferguson – kazałem dokładnie sprawdzić twoją przeszłość. O ile mi wiadomo, jako jeden z najważniejszych szefów podziemnego świata walczyłeś z braćmi Corelli, którzy zniknęli bez śladu – wszyscy trzej. Potem był Jack Hedley, zwany Szalonym Jackiem. Znaleziono go w zaułku przy Brewer Street. Mógłbym wspomnieć jeszcze kilka podobnych przypadków.

– No dobrze, ale ja pilnowałem swoich interesów. Nigdy nie zajmowałem się prostytucją ani narkotykami.

– Wiem, Harry. Zabijałeś tylko tych, którzy weszli ci w drogę. Ja robię to samo albo każę to robić. I zawsze z ważnego powodu. To moja praca, Harry.

– Do czego zmierzasz?

– Mam dość Raszida. Nie muszę ci tego tłumaczyć. Wiesz, za co jest odpowiedzialny. Dzięki Dillonowi pozbyliśmy się obu jego braci. Bell i jego pomagierzy również wypadli z gry. Pozostał tylko Paul i on też musi odejść.

– Przecież nie chciałeś, żeby Dillon podejmował wyzwanie Raszida.

– Jestem kłamcą, Harry. Powstrzymywałem Dillona, ale wiedziałem, że i tak pojedzie i jeśli zdoła pokonać Raszida, to będę się z tego cieszył. Widzisz, Dillon jest niezwykłym człowiekiem nie tylko ze względu na swoje umiejętności i rozum, ale także dlatego, że potrafi zabijać bez skrupułów.

– A czego nie dopowiedziałeś?

– Jest mu obojętne, czy umrze, czy będzie żył.

– A to dobre! Bardzo pocieszające. Czy mój siostrzeniec stanie się taki sam?

– Twój siostrzeniec był – w żargonie przestępczego półświatka – prawdziwym zakapiorem. W ciągu kilku ostatnich lat, dzięki kontaktowi z Dillonem, odnalazł właściwą drogę. To całkiem niegłupi chłopak.

– Wiem o tym. No dobrze, co robimy?

Ferguson spojrzał na zegarek.

– Msza żałobna rozpoczęła się o wpół do dwunastej. Potem miała być skromna stypa w „Dauncey Arms", głównie dla mieszkańców wioski. Ponieważ jest już dwunasta trzydzieści, nie sądzę, żebyśmy mogli zrobić coś więcej, niż tylko liczyć na Dillona.

– I Billy'ego?

– Oczywiście.

Wrócił Bernstein.

– Nadal chce pan opuścić szpital, panie Salter?

– Muszę – odparł Harry.

– W porządku. Proszę pójść do rejestracji, to przepiszę panu odpowiednie antybiotyki, ale nalegam, żebyście obaj zjawili się jutro o dziesiątej w moim gabinecie przy Harley Street. Wtedy zobaczymy, co dalej.

W „Dauncey Arms" ludzie jedli i pili szampana, a niestrudzona Betty Moody doglądała wszystkiego. Dillon i Billy dołączyli do mieszkańców wioski i zjedli trochę sałatki, wędzonego łososia oraz młode ziemniaki. Billy, jak zwykle, pił tylko wodę. Dillon skosztował szampana i nie dopił go, ponieważ był to pośledni gatunek.

Młoda kobieta wychyliła się zza baru.

– Czy pan Dillon?

– Zgadza się, kochana.

– Ten szampan jest dla pana – podała mu kieliszek. – Cristal.

– Najlepszy – rzekł Dillon. – Komu zawdzięczam tę przyjemność?

– Oczywiście earlowi, sir.

Kiedy wyjmowała korek, Dillon rozejrzał się wokół. Nigdzie nie dostrzegł Raszida. Barmanka napełniła kieliszek Dillona i zaproponowała szampana Billy'emu, który odmownie machnął ręką.

– Nigdzie nie widzę earla – zauważył Irlandczyk, jednym łykiem opróżniwszy kieliszek.

– To dziwne, sir – powiedziała zaskoczona barmanka. – Przed chwilą stał z lady Kate przy kominku.

– Czy mówił coś jeszcze?

– Och tak. Powiedział, że jeśli znów pan tu wpadnie, stawia panu drugą butelkę.

– Cóż, to ładnie z jego strony.

– Jeszcze kieliszek, sir?

– Nie, dziękuję. Poproszę dużą whisky Bushmills. To może być moja ostatnia szklaneczka. Bez wody.

Podała mu drinka. Betty Moody wyszła z kuchni. Twarz miała spuchniętą od płaczu. Dillon podniósł szklaneczkę.

– To dla pani straszny dzień, pani Moody.

– Dla nas wszystkich.

– *L'chaim* – powiedział Dillon i wypił whisky.

– *L'chaim*? Co to oznacza?
– To hebrajski toast. Znaczy tyle co „Za życie". – Odstawił szklaneczkę i rzekł do Billy'ego: – Musimy iść.

W Dauncey Place panowała cisza, gdy Raszid i jego siostra otworzyli masywne drzwi i weszli do wielkiej sali. Tak jak zarządził Paul, w posiadłości nie było służby – zostali sami. Na kominku płonęły drwa, a na stole stał kubełek z lodem i butelką Bollingera oraz cztery kieliszki. Paul pomógł Kate zdjąć płaszcz przeciwdeszczowy i podszedł otworzyć szampana.
– Po co cztery kieliszki? – zapytała.
– Dwa są dla Dillona i Billy'ego Saltera – wyjaśnił i rozlał szampana. – Oni tu przyjdą, a ja jestem szczodrym gospodarzem, zarówno jako Raszid, jak i Dauncey. – Podał jej kieliszek i podniósł swój. – Za nas, siostrzyczko. Za George'a i Michaela, a także za Dillona.
Upiła łyk.
– Wcale go nie nienawidzisz.
To było stwierdzenie, nie pytanie. Wzruszył ramionami.
– Kate, nasz ojciec był żołnierzem i podejmował żołnierskie ryzyko. Sean Dillon jest żołnierzem i ja też nim jestem. George ryzykował jako żołnierz w Hazarze, a Michael w Wapping. Dillon za każdym razem podejmował takie same ryzyko.
– Naprawdę tak myślisz?
– Oczywiście. – Uniósł kieliszek. – Za Seana Dillona i Paula Raszida, dwóch dzielnych ludzi.
– Naprawdę chcesz to zrobić, bracie? – zapytała.
Ponownie napełnił sobie kieliszek.
– Moja droga, robiłem już wszystko: narażałem życie i zbiłem niewiarygodny majątek, ale tak naprawdę, co można kupić za pieniądze?

– Cóż więc jest ważne?
– Och, podejrzewam, że według Dillona gra.
– A więc tak na to patrzysz?
Przełknął szampana i roześmiał się.
– Och tak, to jedyna sensowna gra.
W ciszy słychać było tylko trzask ognia na kominku. Kate rozejrzała się po wielkiej sali.
– To wszystko, czym byliśmy jako Daunceyowie.
– Mówi się „Cała nasza przeszłość".
– Co teraz będzie?
– Dillon przyjdzie tu z Billym Salterem.
– I co zrobisz?
– Stawię mu czoło, Kate. To bardziej interesująca gra od zarabiania kolejnych miliardów.
Milczała przez długą chwilę, a potem westchnęła.
– Nie odpowiedziałeś mi, Paul.
Przy kubełku z szampanem leżały dwie krótkofalówki. Podniósł jedną.
– To bardzo prosty radionadajnik. Naciśnij czerwony guzik, a połączysz się ze mną.
– Po co?
Uśmiechnął się.
– Wyjaśnię ci, ale najpierw musisz wypić ze mną ostatni kieliszek.
– To mi się nie podoba. Tak jakbyś się ze mną żegnał.
– Nigdy, kochanie. Zawsze będziemy razem, zawsze.

Dillon i Billy znaleźli Baxtera, pojechali jaguarem do Dauncey Place i zaparkowali na podwórzu przy stajni. Wysiedli, Baxter otworzył bagażnik, a Dillon rozpiął torbę z bronią. Wyjął dwa waltery, wsunął jeden za pasek na plecach, a drugi podał Billy'emu.
– To wszystko? – spytał Salter.

– Nie. – Dillon wyjął dwa automaty Parker-Hale. – Tak jak w Ramie.

Włożył jeden do lewej kieszeni płaszcza.

– Jak to rozegramy? – zapytał Billy.

– Jeśli nie wezwał posiłków, to jest tam tylko z siostrą, ale jej bym nie liczył.

– Skąd wiesz?

– Mam takie przeczucie.

– A więc zapukamy do frontowych drzwi?

– Może są otwarte. Zobaczmy. Chodź z nami, Joe, i weź browninga.

We trzech weszli po szerokich schodach między kolumnami ganku. Dillon nacisnął ozdobną klamkę w kształcie kółka w lwiej paszczy. Drzwi uchyliły się, lecz Sean zaraz je zamknął.

– To nazbyt oczywiste. Spróbujmy od tarasu.

Dokładnie tak jak przewidział Raszid. Poszli wzdłuż szeregu wysokich, wychodzących na taras okien biblioteki. Jedno z nich było otwarte.

– A więc daje nam wybór.

Wewnątrz, między grubymi zasłonami, stała wielka szafa biblioteczna, z rodzaju tych, które są wykonane w siedemnastowiecznym włoskim stylu i zazwyczaj zawierają skrytki. Za jej niedomkniętymi drzwiami schowała się Kate.

– I co teraz? – zapytał Billy.

– Ja wejdę frontowymi drzwiami, a ty tędy. Tylko nie zastrzel mnie przez pomyłkę. – Dillon zwrócił się do Baxtera. – Ty idź na tyły domu. Odkręć tłumik z browninga i strzel trzy razy w powietrze, żeby cię usłyszał.

– I pomyślał, że wchodzimy od tyłu? – rzekł Billy. – On nie da się zwieść.

– Wiem, ale nic lepszego nie przychodzi mi do głowy. Pierwszy ruch i tak należy do Raszida. – Znowu odwrócił się do Baxtera. – Ruszaj. Zaraz wchodzimy. Zobaczymy się później, Billy.

– W piekle – odparł Salter.

– Nie ma mowy. W „Dark Manie” czeka na mnie butelka szampana, a na ciebie irlandzki gulasz.

Z tymi słowami Dillon odszedł.

Kate słyszała całą tę rozmowę. Zamknęła drzwi biblioteki, włączyła radionadajnik i wywołała brata. Zgłosił się natychmiast.

– Co się dzieje?

Powiedziała mu, czego się dowiedziała.

– Dobrze. Zwabię go na wieżę i spotkamy się na tarasie. Ty trzymaj się od tego z daleka.

Wyłączył się. Podszedł do balustrady galerii na pierwszym piętrze, trzymając AK-47 z tłumikiem i złożoną kolbą. Nadal miał na sobie mundur, zdjął tylko czapkę. Czekał.

Baxter znalazł się na tyłach domu i wystrzelił trzy razy, a Billy pchnął okno i wskoczył do biblioteki. Dillon przekręcił klamkę w kształcie lwiej głowy i wpadł do środka.

W wielkiej sali zalegał mrok, słabo rozświetlany przez płomienie palących się na kominku drew. Dillon przyczaił się za krzesłami stojącymi wokół wielkiego stołu. Raszid widział go przez mgnienie oka, ale nawet nie próbował strzelać.

– Hej, Dillon! Po co ci ten płaszcz? Masz automat w kieszeni? – Dillon czaił się w mroku, z walterem w dłoni. – Widzę cię przez okulary na podczerwień. Jestem tu, na galerii. Wejdź głównymi schodami, a potem przez łukowate przejście na spiralne schodki i na górę, na wieżę zegarową. Zobaczysz taras. Tam będę na ciebie czekał, o ile dopisze ci odwaga. Jeżeli potrzebny ci pistolet maszynowy, to bardzo proszę. Mnie wystarczy walter albo gołe ręce.

Zaśmiał się i w tym momencie zaskrzypiały otwierane drzwi biblioteki.

– Jesteś tam, Dillon? – szepnął Billy.

Wykorzystując noktowizor na podczerwień, Raszid wycelował w jego pierś i strzelił. Dillon natychmiast rozpoznał stłumiony trzask AK-47. Billy runął na wznak.

– Jeden załatwiony – śmiech Raszida ucichł w oddali.

Dillon podczołgał się do Billy'ego, który jęczał, z trudem łapiąc oddech. Dillon rozerwał mu koszulę, pomacał i znalazł dwa pociski wbite w tytanową kamizelkę.

– Leż spokojnie – szepnął. – To był wstrząs dla twojego układu krwionośnego, ale kamizelka zatrzymała kule. Kup akcje Wilkinson Sword Company.

– Nic mi nie będzie – wykrztusił Billy.

– Zaczekaj, aż znów zaczniesz normalnie oddychać. Ja wejdę za nim na wieżę.

Wstał, zdjął płaszcz i zostawił go razem z automatem Parker-Hale. Przeszedł przez wielką salę i ruszył po schodach, trzymając w ręku waltera.

Billy leżał na podłodze, usiłując złapać oddech. Znajdujące się za jego plecami drzwi do biblioteki ponownie zaskrzypiały. Lady Kate Raszid spojrzała na leżącego, a potem przebiegła przez wielką salę i poszła po schodach w ślad za Dillonem.

Dillon, nie rozglądając się na boki, ruszył po spiralnych schodach na wieżę. Raszid chciał spotkać się z nim na szczycie i stanąć z nim twarzą w twarz – to było dla niego najważniejsze. Obok drzwi na końcu schodów znajdowało się wąskie okienko. Dillon spojrzał przez nie. Ujrzał fragment owalnego tarasu, ale ani śladu Raszida.

Otworzył drzwi, przycisnął się do ściany i ostrożnie wyjrzał. Deszcz przeszedł w niemal tropikalną ulewę. Taras otaczała balustrada, za którą staromodny dach, kryty ołowianą blachą, opadał stromo do granitowej krawędzi.

Na dole, chociaż Dillon o tym nie wiedział, lady Kate Raszid dotarła do spiralnych schodów. Irlandczyk nabrał tchu i z walterem w dłoni wyskoczył na deszcz. Nic. Ponownie zrobił głęboki wdech i w tym momencie skoczył na niego Paul Raszid, czający się na gzymsie nad drzwiami. Dillon zachwiał się, ale utrzymał się na nogach. Earl uderzył go kantem dłoni w nadgarstek, wytrącając waltera. W odpowiedzi Dillon trzasnął go łokciem w twarz. Odwrócił się i stanął oko w oko z Raszidem. Wspaniały mundur earla był zupełnie przemoczony.

– A więc w końcu spotkaliśmy się, przyjacielu.

Paul rzucił się na Dillona i starli się pierś w pierś. Za ich plecami otworzyły się drzwi i stanęła w nich Kate. Krzyknęła, widząc, jak obaj uderzyli o balustradę tarasu. Przez moment szamotali się, a potem spadli na ołowianą blachę dachu i zaczęli się zsuwać.

W ulewnym deszczu ołowiane płyty były śliskie jak lód. Cięższy Raszid spadł z impetem, przelatując poza krawędź. Dillon ześlizgnął się w dół, ale miał więcej szczęścia, gdyż zdołał zaprzeć się nogami o granitowy występ.

Przesunął się w bok i wyciągnął rękę.

– Daj rękę.

– Idź do diabła.

Joe Baxter i Billy stali na dole, zadzierając głowy.

– Rany boskie, podaj mi rękę – powiedział Dillon. – To nie pora na kłótnie.

– Nie, niech cię szlag!

Usłyszeli krzyk i nad nimi pojawiła się Kate Raszid.

– Paul, nie!

Przeszła pod balustradą i ześlizgnęła się po mokrej blasze, zapierając się stopami o granitową krawędź. Raszid powoli zsuwał się coraz niżej. Kate pochyliła się, wyciągnęła rękę i złapała go za przegub.

– No, Paul, trzymaj się mnie.

Spróbował to zrobić, lecz jednocześnie pociągnął ją do przodu, tak że o mało nie runęła głową w dół. Paul uśmiechnął się do niej, z miłością, zrozumieniem i dziwną godnością. Ten rozdzierający widok miał dręczyć ją do końca życia.

– Hej, siostrzyczko, już wystarczy. Tylko nie ty.

Wyrwał się jej i dosłownie odpłynął w powietrzu, przekoziołkował i uderzył o ziemię niedaleko Billy'ego i Baxtera.

Kate nie krzyknęła, nie była w stanie. Wydawało się, że ten wstrząsający widok na zawsze pozbawił ją zdolności do jakiejkolwiek reakcji. Dillon złapał ją za rękę i zaczął pełznąć w kierunku schodków.

– Chodź. – Przez chwilę wahała się, więc powtórzył: – Chodź, chyba że też chcesz spaść.

Poddała się z przeciągłym westchnieniem, a Dillon złapał pierwszy schodek i powoli wciągnął siebie i dziewczynę za balustradę. Wtedy wyrwała mu się, zbiegła po schodach i przemknęła przez wielką salę. Dillon wziął płaszcz i wyszedł za nią. Przystanął na ganku i okrył nim ramiona klęczącej nad ciałem brata Kate. Podniosła głowę i spojrzała na niego z kamiennym wyrazem twarzy.

– Nie żyje. Zabiłeś ich wszystkich, Dillon, wszystkich moich braci.

– Przykro mi – odpowiedział machinalnie i głupio.

– Odejdź.

– Rany boskie, dziewczyno.

– Zostaw mnie w spokoju, Dillon. Idź sobie i zabierz swoich ludzi. Zajmę się tobą później, w odpowiedniej chwili.

Dillon zawahał się, a potem skinął na Baxtera i Billy'ego.

– Wynośmy się stąd.

Wsiedli do jaguara. Baxter zapuścił silnik i odjechali. Dillon odwrócił się i spojrzał na Kate. Nadal klęczała.

– Jak się czujesz? – zapytał Billy'ego.

– Obolały jak diabli. Co się tam stało?

– Walczyliśmy wręcz. Przelecieliśmy przez barierkę, ześlizgnęliśmy się z dachu i Raszid przeleciał za krawędź. Chciałem mu podać rękę, ale jej nie przyjął. Jego siostra zeszła do nas i chwyciła go za rękę, ale wyrwał się jej, żeby nie pociągnąć jej ze sobą. – Dillon lekko drżącą dłonią zapalił papierosa. – Powiedział: „Hej, siostrzyczko, już wystarczy. Tylko nie ty".

– Jezu Chryste – mruknął Billy. – Co ona miała na myśli, kiedy powiedziała, że zajmie się tobą później, w odpowiedniej chwili?

– To proste, Billy. Chciała powiedzieć, że to jeszcze nie koniec. A teraz lepiej zadzwonię do Fergusona – odparł Dillon i wyjął telefon komórkowy.

EPILOG

LONDYN

Dla całego świata, a szczególnie dla środków przekazu, była to prawdziwa sensacja. W tym samym dniu, w którym pogrzebał swoich dwóch braci, Paul Raszid, earl Loch Dhu i jeden z najbogatszych ludzi na świecie, spadł z tarasu wieży swej rodzinnej rezydencji.

Jego siostra opowiedziała prostą, lecz tragiczną historię. Po uroczystościach pogrzebowych był bardzo przygnębiony. Chciał być sam i wszedł na wieżę zegarową, która była jego ulubionym miejscem. Media przyjęły tę opowieść z powściągliwym szacunkiem, ze względu na pozycję Raszidów oraz posiadany przez tę rodzinę pokaźny pakiet udziałów w stacjach telewizyjnych i w koncernach prasowych. Większość dziennikarzy uznała historię nieszczęśliwego wypadku za prawdziwą, kilku nieśmiało napomykało o samobójstwie, ale to wszystko.

Natomiast wszystkie media zamieściły relacje z pogrzebu Paula Raszida. Msza była bardzo skromna i nie zaproszono na nią nawet mieszkańców Dauncey. Oprócz londyńskiego imama i pastora, wzięła w niej udział jedynie lady Kate Raszid. I jak zwykle, media pomyliły się, gdyż na pogrzebie był ktoś jeszcze.

Sean Dillon nie wszedł do kościoła. Podczas mszy żałobnej siedział w jaguarze wraz z Billym i czekał.

– Znów pada – zauważył Salter.

– Jak niemal zawsze – odparł Dillon.

Orszak wyłonił się z kościoła. Kate Raszid, teraz hrabina Loch Dhu, szła za trumną. Dillon wysiadł z jaguara.

– Chcesz parasol? – zapytał Billy.

– Cóż to dla mnie taki deszczyk.

Dillon zaczekał, aż dojdą do rodzinnego grobowca Daunceyów, a potem podszedł i stał na końcu cmentarza, gdy pastor i imam mówili swoje. To dziwne, lecz lady Kate Raszid nie wzięła parasolki i nikt też nie osłaniał jej przed deszczem. Stała tak, jak zawsze w czerni, okryta czarną peleryną, kiedy wnoszono trumnę do grobowca. Potem pastor i imam podali sobie ręce, a grabarze odeszli.

Odwróciła się i ruszyła naprzód, idąc przez cmentarz w kierunku bramy, przy której stał Dillon. Zdawała się poruszać w zwolnionym tempie. Zupełnie sama, z ocienioną rondem mokrego kapelusza twarzą, która nie wyrażała żadnych uczuć, nawet kiedy dziewczyna znalazła się w pobliżu Dillona. Tak jakby go tam nie było – nie, nawet jakby w ogóle nie istniał. Przeszła tak blisko, że prawie otarła się o niego skrajem peleryny. Minęła bramę i poszła ulicą w kierunku Dauncey Place. Dillon odprowadził ją wzrokiem, a potem wsiadł do jaguara.

– Wracamy do Londynu.

Billy włączył silnik i ruszył.

– A więc to już koniec?

– Nie sądzę.

W piątek wieczorem Harry, Billy, Ferguson i Dillon spotkali się w „Fortepianowym Barze" hotelu „Dorchester". Harry nadal nosił rękę na temblaku, lecz Ferguson wyglądał tak jak zawsze, jakby nie miał złamanej ręki.

Dillon usiadł przy fortepianie, zapalił papierosa i zaczął grać jeden standard za drugim. Zauważył ją, ale niczym tego nie okazał i grał dalej.

Kate oparła się o fortepian.

– Lubię ten kawałek, Dillon. „A Foggy Day in London Town".

– Z „Damy w opałach" Freda Astaire'a.

– Widziałam ten film. Joan Fontaine była okropna, ale ty jesteś dobry – jak we wszystkim, co robisz.

Siedzący przy pobliskim stoliku Ferguson i Salterowie słyszeli tę wymianę zdań. Dillon wytrząsnął z paczki następnego papierosa i zapalił go starą zapalniczką Zippo.

– Czego chcesz, Kate?

– Dostać nie tylko ciebie, Dillon, ale także twoich przyjaciół.

Odwróciła się do tamtych i stała, jak zwykle ubrana w czarny nieskazitelny kostium, który zapewne kupiła u Armaniego za trzy tysiące funtów. Czarne, sięgające do ramion włosy miała starannie uczesane i tym razem była obwieszona złotą biżuterią. Wyglądała wspaniale – była nie tylko piękna, ale silna i władcza.

– Królowa Saby – powiedział cicho Dillon.

– Naprawdę? – uśmiechnęła się.

– Och tak i nie chodzi tylko o twoje orientalne pochodzenie. W kościele widziałem takie same marmurowe twarze żon dawnych Daunceyów.

– Nie mogłeś powiedzieć mi wspanialszego komplementu.

Dillon wstał od fortepianu i dołączył do pozostałych.

– Lady Loch Dhu – rzekł formalnie Ferguson i wszyscy wstali.

– Siadajcie, panowie. – Opadli na krzesła. – Pomyślałam, że chętnie usłyszycie najnowsze wiadomości. Amerykańskie i rosyjskie przedsiębiorstwa naftowe uzgodniły z Raszid Investments warunki eksploatacji złóż w Hazarze i na pustyni Ar-Rub al-Chali. Notowania akcji naszej rodzinnej firmy, której jestem prezesem, zdecydowanie poszły w górę. – Uśmiechnęła się. – Zwyżkują na nowojorskiej i londyńskiej giełdzie. Nasze zasoby wzrosły do siedmiu miliardów. Moi księgowi mówią mi, że to czyni mnie najbogatszą kobietą na świecie.

Ferguson zdobył się na uśmiech.

– Wspaniale, moja droga.

– Byłam pewna, że tak pan powie, generale.

Zapadła cisza. Przerwał ją Dillon.

– Dokończ, Kate.

Odwróciła się i powiedziała z uśmiechem:

– Przepraszam, Dillon. Chciałam tylko powiedzieć, że zamierzam zniszczyć was wszystkich. Widzisz, to ta moja arabska krew. Miałam trzech braci, a teraz zostałam sama.

– A jak chcesz tego dokonać? – zapytał łagodnie.

– To bez znaczenia. Wierzę w stare przysłowie, że zemsta najlepiej smakuje na zimno. Mogę poczekać. – Znowu się uśmiechnęła. – Jednakże od tej pory będziecie w niebezpieczeństwie. Kiedy wsiądziecie do samochodu, niewykluczone, że wyleci w powietrze. Gdy usłyszycie kroki w ciemności, może to będzie zabójca...

– Rób sobie, co chcesz, kochana – odparł Harry Salter. – Ludzie próbowali mnie załatwić przez ostatnie czterdzieści lat.

– Dziękuję za ostrzeżenie – rzekł Ferguson. – To bardzo uprzejmie z twojej strony.

Uśmiechnęła się do Dillona.

– Nie zapomnij o mnie, Sean, i pamiętaj dewizę naszej rodziny: „Zawsze wracam”.

Odeszła, cudownie piękna, uosobienie uroku i elegancji. Dillon odprowadził ją wzrokiem i powiedział cicho:

– Och, na pewno cię nie zapomnę, dziewczyno.